À LA SOUPE !

Les Éditions
Coup d'œil

Dépôt légal : 3e trimestre 2009
Bibliothèque et Archives nationales du Québec
Bibliothèque nationale du Canada

Graphisme : Julie Jodoin Rodriguez

© Éditions Coup d'œil, 2009

© Édimag
Cet ouvrage est basé sur 2 ouvrages
précédemment publiés chez Édimag :
Marie-Blanche Legault. *Les très bonnes
soupes de grand-maman,* 2003.
Nathalie Fradette. *À la soupe !,* 2005.

Imprimé en Chine

ISBN : 978-2-89638-610-9

TABLE DES MATIÈRES

BOUILLONS ET CONSOMMÉS

BOUILLON DE JULIENNES

4 portions

- 3 tasses de bouillon de bœuf
- 1 feuille de laurier
- 1 c. à soupe de persil séché
- 1 carotte, en julienne
- 1 petit navet, en julienne
- Sel
- Poivre

Dans une casserole, verser le bouillon de bœuf. Ajouter la feuille de laurier et le persil, amener à ébullition et réduire la chaleur. Ajouter les juliennes de carotte et de navet, et laisser mijoter jusqu'à ce que les légumes soient *al dente*. Retirer la feuille de laurier. Saler et poivrer au besoin.

La julienne est tout simplement une manière de couper les légumes en forme de bâtonnets.

BOUILLONS ET CONSOMMÉS

6

BOUILLON AU RIZ ET AUX OLIVES

4 portions

- 3 tasses de bouillon de bœuf
- 4 c. à soupe de riz cuit
- 1 c. à soupe d'olives vertes et noires, en fines lanières
- Sel
- Poivre
- Persil frais haché

Dans une casserole, faire chauffer le bouillon de bœuf. Ajouter le riz cuit et les lanières d'olives, et amener à ébullition. Retirer du feu. Saler et poivrer au besoin. Au moment de servir, garnir de persil frais.

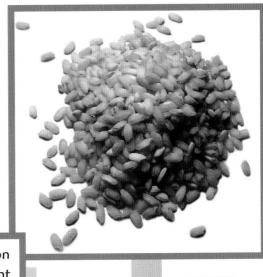

Voilà une belle façon d'apprêter un restant de riz cuit.

BOUILLON AUX CHAMPIGNONS

4 portions

- 1 c. à soupe de beurre
- 1 c. à soupe d'oignon finement haché
- 1 tasse de champignons tranchés (blancs, pleurotes, portobellos, shiitake, etc.)
- 1/2 tasse de vin rouge
- 1 pincée d'estragon
- 3 tasses de bouillon de bœuf
- Sel
- Poivre

Dans une casserole, faire revenir l'oignon à feu doux dans le beurre jusqu'à ce qu'il soit tendre. Ajouter les champignons et les faire revenir jusqu'à ce qu'ils aient rendu toute leur eau. Ajouter le vin rouge et l'estragon, et laisser réduire le liquide de moitié. Verser le bouillon de bœuf et amener à ébullition. Retirer du feu. Saler et poivrer au besoin.

Vous pouvez ajouter des oignons verts hachés sur le dessus pour mettre de la couleur !

Les amoureux de champignons adoreront ce bouillon savoureux !

BOUILLON AUX CROÛTONS

4 portions

- 3 tasses de bouillon de bœuf
- Sel
- Poivre
- 1/2 tasse de croûtons à l'ail

Dans une casserole, faire chauffer le bouillon de bœuf. Saler et poivrer au besoin. Lorsque le liquide est bien fumant, le servir dans les bols. Répartir les croûtons dans chaque bol et servir immédiatement.

> Voici une soupe très économique...
> et savoureuse !

BOUILLON À L'AIL ET AU PERSIL

4 portions

- 1 c. à soupe de beurre
- 1 petit oignon, en petits dés
- 5 gousses d'ail finement hachées
- 3 tasses de bouillon de poulet
- 1/2 tasse de persil frais, finement haché
- Sel
- Poivre

Mettre le beurre dans une casserole à feu doux et faire revenir l'oignon et l'ail jusqu'à ce qu'ils soient tendres. Ajouter le bouillon de poulet et le persil. Amener à ébullition, réduire la chaleur et laisser mijoter 15 minutes. Saler et poivrer au besoin.

> Un excellent bouillon à servir l'hiver, lorsque le rhume et la grippe sont à nos portes !

BOUILLON AUX TOMATES ET AU PARMESAN

4 portions

- 3 tasses de bouillon de poulet
- 1 tomate épépinée, en petits dés
- Sel
- Poivre
- Huile d'olive
- Parmesan râpé

Dans une casserole, amener le bouillon de poulet à ébullition. Réduire la chaleur et ajouter les dés de tomates. Saler et poivrer au besoin. Au moment de servir, verser un filet d'huile d'olive dans chaque bol et saupoudrer de parmesan.

Pour donner à cette soupe une touche italienne, ajoutez un soupçon de vinaigre balsamique et du basilic frais dans chaque bol.

BOUILLON AUX MOULES

4 portions

- 1 c. à soupe de beurre
- 1 c. à soupe d'oignon finement haché
- 1 gousse d'ail finement hachée
- 1/4 de c. à thé de graines d'anis
- 1/2 tasse de vin blanc
- 3 tasses de bouillon de poulet
- 1 feuille de laurier
- 1/2 tasse de moules cuites, retirées de leur coquille (gardez une moule dans sa coquille par portion, pour la décoration)
- Sel
- Poivre

Dans une casserole, faire revenir l'oignon et l'ail dans le beurre à feu doux jusqu'à ce qu'ils soient tendres. Ajouter les graines d'anis et le vin blanc, amener à ébullition et laisser réduire le liquide de moitié. Ajouter le bouillon de poulet et la feuille de laurier, et laisser mijoter quelques minutes. Mettre les moules cuites dans le bouillon. Saler et poivrer au besoin. Retirer la feuille de laurier. Au moment de servir, décorer chaque bol d'une moule dans sa coquille.

BOUILLON AUX ŒUFS

4 portions

- 3 tasses de bouillon de poulet
- 2 œufs battus
- Sel
- Poivre
- Parmesan râpé
- Basilic frais, finement haché
- 1 c. à soupe de tomate, en petits dés

Dans une casserole, faire chauffer le bouillon de poulet jusqu'à ce qu'il soit fumant. Y verser les œufs lentement, en filet, tout en brassant la soupe (si vous ne brassez pas le bouillon au moment d'incorporer les œufs, ils cuiront en gros morceaux et non en filaments). Saler et poivrer au besoin. Servir la soupe dans les bols. Ajouter le parmesan et le basilic, et décorer des dés de tomate.

BOUILLON AUX CREVETTES ET À LA CORIANDRE

4 portions

- 3 tasses de bouillon de légumes, de poulet ou de fumet de poisson
- 12 crevettes grises décortiquées
- Sel
- Poivre
- Coriandre fraîche, finement hachée
- Lime, en rondelles

Dans une casserole, faire chauffer le bouillon ou le fumet. Y ajouter les crevettes et laisser mijoter jusqu'à ce que ces dernières soient cuites (1 ou 2 minutes, selon la grosseur des crevettes). Saler et poivrer au besoin. Servir la soupe dans les bols. Parsemer de coriandre fraîche et décorer d'une rondelle de lime.

Voici un bouillon d'inspiration asiatique.

BOUILLON DE POULET

8 portions

- 5 lb (2,2 kg) de carcasses de poulets déjà cuits et débarrassés de la chair
- 8 tasses d'eau froide
- 1 oignon
- 2 carottes
- 3 branches de céleri
- 1 feuille de laurier
- 1 c. à thé de thym
- Sel et poivre, au goût

Placer les carcasses dans une grande casserole. Ajouter le liquide et porter à ébullition. Ajouter les légumes et la feuille de laurier. Assaisonner au goût, de sel et de poivre. Ajouter le thym. Laisser mijoter à feu doux pendant 4 heures. Écumer de temps en temps.

BOUILLON DE LÉGUMES

8 portions

- 1 tasse de carottes coupées en rondelles
- 1 tasse de poireaux hachés
- 1 tasse d'oignons émincés
- 1/2 tasse de céleri coupé en dés
- 1 tasse de navets coupés en morceaux
- 2 gousses d'ail
- 8 tasses d'eau
- 4 c. à soupe de beurre
- 2 feuilles de laurier
- 2 c. à soupe de persil
- 1 c. à thé de thym
- 1 c. à thé d'origan ou de basilic
- Sel et poivre, au goût

Faire revenir dans le beurre chaud les oignons, l'ail et les poireaux jusqu'à ce qu'ils soient dorés. Ajouter le reste des légumes. Bien les assaisonner avec le poivre et le sel. Ajouter les feuilles de laurier. Ajouter l'eau et porter à ébullition. Assaisonner de persil, de thym et d'origan. Laisser cuire à feu moyen jusqu'à ce que les légumes soient bien cuits. Écumer régulièrement pour que le bouillon soit plus clair. Filtrer et ne conserver que le bouillon de cuisson.

BOUILLON DE BŒUF OU DE VEAU

8 portions

- 2 c. à soupe de beurre
- 1 c. à soupe d'huile végétale
- 5 lb (2,2 kg) de jarret de bœuf (ou de veau)
- 8 tasses d'eau froide
- Bouquet garni
- 2 carottes coupées grossièrement
- 2 poireaux
- 3 branches de céleri coupées en morceaux
- 2 oignons hachés
- 1 c. à thé de thym
- Sel et poivre

Faire revenir pendant 30 minutes les os dans le beurre et l'huile jusqu'à ce qu'ils soient bien dorés. Ajouter l'eau et les légumes. Assaisonner avec les différentes herbes. Amener à ébullition. Baisser le feu et laisser mijoter à feu doux pendant 3 heures. Ajouter le sel et le poivre après 1 heure de cuisson. Écumer le bouillon à plusieurs reprises au cours de la cuisson. Filtrer au tamis et ne conserver que le bouillon.

Pour dégraisser votre bouillon, il suffit de le réfrigérer quelques heures et d'enlever le gras qui remontera à la surface.

BOUILLON DE POISSON

8 portions

- 5 lb (2,2 kg) de têtes de poissons, de parures de poissons et d'arêtes
- 2 carottes coupées en rondelles
- 2 branches de céleri coupées en morceaux
- 2 oignons hachés grossièrement
- Jus d'un citron
- 1 bouquet de persil
- 1 tasse de vin blanc (facultatif)
- 2 gousses d'ail
- 2 feuilles de laurier
- 1 c. à thé de thym
- 8 tasses d'eau
- Sel et poivre, au goût

Placer dans une grande casserole tous les morceaux de poissons. Ajouter tous les légumes. Verser l'eau dans la casserole. Porter à ébullition. Ajouter le jus de citron et le vin blanc. Assaisonner de sel et de poivre. Ajouter le thym, le persil et les feuilles de laurier et laisser mijoter à feu moyen pendant 30 minutes. Écumer soigneusement. Filtrer le bouillon dans un tamis.

> Pour clarifier ce bouillon de poisson, il suffit d'y ajouter 2 blancs d'œufs.

BOUILLONS ET CONSOMMÉS

TORTELLINIS AU BOUILLON

4 portions

- 3 tasses de bouillon de poulet
- 20 tortellinis au fromage ou à la viande cuits *al dente*
- Sel
- Poivre
- Vinaigre balsamique
- Romano ou parmesan râpé
- Basilic frais, finement haché, au goût

Dans une casserole, faire chauffer le bouillon de poulet. Lorsque le liquide est fumant, ajouter les tortellinis et laisser mijoter jusqu'à ce que l'intérieur des pâtes soit chaud. Saler et poivrer au besoin. Servir le bouillon et les pâtes dans les bols. Ajouter un filet de vinaigre balsamique, le fromage râpé et le basilic.

CONSOMMÉ À L'OIGNON

4 portions

- 2 c. à soupe de beurre
- 4 tasses de bouillon de bœuf
- 1 oignon haché finement
- Quelques gouttes de sauce Worcestershire
- Poivre

Faire revenir les oignons dans le beurre chaud pendant 5 minutes. Ajouter le bouillon, la sauce Worcestershire et le poivre. Amener à ébullition. Baisser le feu et laisser mijoter quelques minutes. Servir ainsi ou filtrer dans un tamis pour ne conserver que le liquide.

Vous pouvez ajouter quelques gouttes de cognac juste avant de verser le consommé dans les bols à soupe.

CONSOMMÉ AU MADÈRE

4 portions

- 4 tasses de consommé de veau
- 1/2 c. à thé de poudre de cari

- 1 c. à thé de thym
- Poivre
- 2 c. à soupe de madère

Faire chauffer le consommé sans le porter à ébullition. Ajouter le poivre, au goût, la poudre de cari et le thym. Amener à ébullition. Verser le madère. Laisser mijoter 10 minutes.

Pour obtenir encore plus le goût du madère, vous pouvez en ajouter quelques gouttes dans le fond de chaque bol à soupe avant d'y verser le consommé.

CONSOMMÉ DE VEAU

8 portions

- Quelques cubes de veau émincés
- 8 tasses de bouillon de veau dégraissé
- 2 carottes coupées en morceaux
- 1 oignon émincé
- 1 branche de céleri coupée en dés
- 1/2 c. à thé de thym séché
- 1 feuille de laurier
- 2 blancs d'œufs et 2 coquilles
- 3 clous de girofle
- Sel et poivre
- 1 c. à thé de sucre

Porter le bouillon de veau à ébullition. Ajouter les cubes de veau émincés et les légumes. Battre les blancs d'œufs et écraser les coquilles. Les ajouter au bouillon. Fouetter sur le feu constamment jusqu'à nouvelle ébullition. Ajouter les herbes, les clous de girofle, le sel et le poivre. Laisser mijoter jusqu'à ce que les légumes soient bien cuits. Filtrer le liquide à travers une mousseline.

SOUPES-REPAS

BOUILLABAISSE

8 portions

- 2 c. à soupe d'huile d'olive
- 1 oignon haché finement
- 1 poireau coupé en tranches
- 3 gousses d'ail émincées
- 3 pommes de terre pelées et coupées en cubes
- 3 carottes coupées en rondelles
- 1/2 tasse de haricots verts
- 4 tomates hachées en gros morceaux
- 2 c. à soupe de persil
- 6 tasses de bouillon de poisson
- 1 lb (500 g) de poisson blanc (sole, aiglefin ou morue)
- 1 lb (500 g) de crevettes
- 1 lb (500 g) de pétoncles
- 1 douzaine de moules
- 1 feuille de laurier
- 1 c. à thé de paprika
- Sel et poivre

Chauffer l'huile et y faire tomber l'oignon, le poireau et l'ail. Ajouter les autres légumes et le persil. Mouiller le tout avec le bouillon de poisson. Porter à ébullition et réduire à feu moyen. Laisser mijoter pendant 20 minutes. Ajouter le poisson, les crevettes, les moules et les pétoncles dans le bouillon encore chaud. Baisser le feu et laisser reposer 10 minutes avant de servir.

Ce plat d'origine provençale peut s'accommoder de la plupart des poissons à chair blanche. Informez-vous auprès de votre poissonnier.

SOUPE DE POMMES DE TERRE AU FROMAGE

6 portions

- 2 c. à soupe de beurre
- 2 oignons émincés
- 2 branches de céleri coupées en petits morceaux
- 2 tasses de pommes de terre
- 6 tasses de bouillon de poulet
- 1/2 c. à thé de thym
- 1/4 c. à thé de basilic
- 1 tasse de fromage gruyère râpé
- Persil ou ciboulette
- Sel et poivre, au goût

Faire cuire les oignons et le céleri dans le beurre chaud pendant 5 minutes. Ajouter les pommes de terre. Verser le bouillon de poulet. Ajouter le thym et le basilic. Saler et poivrer au goût. Amener à ébullition. Laisser mijoter à feu moyen jusqu'à ce que les pommes de terre soient bien cuites. Ajouter le fromage râpé. Remuer et servir. Garnir de persil ou de ciboulette.

Vous pouvez passer cette soupe au mélangeur avant de mettre le fromage.

SOUPE AUX FRUITS DE MER

4 portions

- 1 c. à soupe de beurre
- 1 petit oignon, en dés
- 1/2 tasse de vin blanc
- 1 feuille de laurier
- 1 branche de céleri, en dés
- Feuilles de céleri, au goût
- 1/2 tasse de fenouil, en dés
- 4 tasses de fumet de poisson ou de bouillon de poulet
- 1/4 de tasse de persil frais, haché

- 1/2 tasse de petits pétoncles
- 1/2 tasse de petites crevettes grises décortiquées
- 1 boîte de palourdes égouttées
- Sel
- Poivre
- Huile d'olive

Dans une casserole, faire revenir l'oignon à feu doux dans le beurre pendant quelques minutes. Ajouter le vin blanc et le laurier, et laisser réduire le liquide de moitié. Ajouter le céleri et ses feuilles, le fenouil, le fumet ou le bouillon et le persil. Amener à ébullition, réduire la chaleur et laisser mijoter quelques minutes. Ajouter les pétoncles et les crevettes. Laisser mijoter jusqu'à ce que les fruits de mer soient cuits. Ajouter les palourdes. Saler et poivrer au besoin. Au moment de servir, verser un filet d'huile d'olive dans chaque bol.

Vous pouvez aussi ajouter à cette soupe du calmar, des moules, du crabe...

SOUPE À L'ORGE PERLÉ

8 portions

- 1 c. à soupe d'huile d'olive
- 4 tasses d'eau
- 4 tasses de bouillon de bœuf
- 1 tasse d'orge perlé
- 1 tasse de poireaux émincés
- 1 tasse de carottes coupées en fines rondelles
- 1 oignon émincé
- 2 branches de céleri coupées en dés
- 1 c. à thé de thym
- Sel et poivre

Faire sauter les morceaux de poireaux, de carottes, le céleri et l'oignon dans l'huile d'olive. Verser l'eau et le bouillon de bœuf et amener à ébullition. Saler au goût. Ajouter l'orge et laisser mijoter à feu doux pendant 1 heure. Poivrer vers la fin de la cuisson.

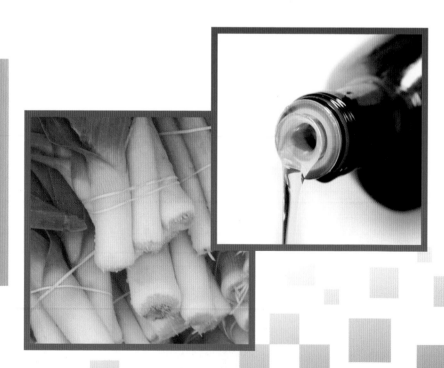

SOUPE AUX RIZ, TOMATES ET CAROTTES
8 portions

- 6 tasses d'eau
- 2 tasses de bouillon de poulet
- 1 tasse de carottes coupées en rondelles
- 1 tasse de morceaux de poulet cuit (ou de dinde)
- 3/4 tasse de riz cru
- 1 tasse de jus de tomate
- Sel et poivre, au goût

Amener l'eau et le bouillon de poulet à ébullition. Y verser les carottes et le riz cru. Laisser mijoter à feu doux pendant 30 minutes. Ajouter le poulet cuit et le jus de tomate. Laisser mijoter encore 15 minutes.

SOUPE ORIENTALE AUX CREVETTES

4 portions

- Nouilles asiatiques (de riz, ramen, etc.)
- 4 tasses de bouillon de poulet ou de légumes
- 1 c. à soupe de gingembre frais, en dés
- 20 grosses crevettes grises décortiquées
- Coriandre fraîche, hachée
- Jus de lime (ou citron)
- Zeste de lime (ou citron)

Faire cuire les nouilles dans de l'eau bouillante et les répartir dans les bols. Dans une casserole, amener le bouillon à ébullition et y plonger le gingembre. Laisser mijoter quelques minutes, le temps d'attendrir le gingembre. Ajouter les crevettes. Cuire jusqu'à ce que les crevettes rosissent. Verser la soupe fumante sur les nouilles. Presser un quartier de lime au-dessus de chaque bol et parsemer de coriandre fraîche.

Si le cœur vous en dit, ajoutez de la citronnelle et des champignons à cette soupe savoureuse.

SOUPE ORIENTALE AU POULET

4 portions

- Nouilles asiatiques (de riz, ramen, etc.)
- 4 tasses de bouillon de poulet
- 1 carotte, en dés
- 1 branche de céleri, en dés
- 1/2 tasse de fleurettes de brocoli
- 1/2 tasse de fleurettes de chou-fleur
- 1/2 tasse de fèves germées
- Poulet cuit, en dés
- Sel
- Poivre
- 1 échalote émincée

Faire cuire les nouilles dans de l'eau bouillante et les répartir dans les bols. Dans une casserole, amener le bouillon de poulet à ébullition et y plonger la carotte, le céleri, le brocoli, le chou-fleur et les fèves germées. Réduire la chaleur et laisser cuire jusqu'à ce que les légumes soient *al dente*. Ajouter le poulet. Saler et poivrer au besoin. Verser la soupe fumante sur les nouilles. Parsemer d'échalotes.

SOUPE ORIENTALE AU PORC
4 portions

- Nouilles asiatiques (de riz, ramen, etc.)
- 4 tasses de bouillon de bœuf
- 1 petit oignon, en rondelles minces
- 1 branche de céleri, en tranches
- 1/2 tasse de champignons émincés
- 1/2 tasse de pois mange-tout
- Porc cuit, en lanières
- Sauce soya
- Noix de cajou grillées

Faire cuire les nouilles dans de l'eau bouillante et les répartir dans les bols. Dans une casserole, amener le bouillon de bœuf à ébullition et réduire la chaleur. Y plonger l'oignon en rondelles et laisser mijoter jusqu'à ce qu'il soit tendre. Ajouter le céleri, les champignons et les pois mange-tout. Laisser mijoter jusqu'à ce que les légumes soient *al dente*. Ajouter les lanières de porc. Verser la soupe bouillante sur les nouilles. Ajouter une larme de sauce soya dans chaque bol et parsemer de noix de cajou.

SOUPE ORIENTALE AU TOFU

4 portions

- Nouilles asiatiques (de riz, ramen, etc.)
- 4 tasses de bouillon de légumes
- 1 carotte, en dés
- 1 branche de céleri, en tranches
- 1/2 tasse de fèves germées
- 1/2 tasse de pois mange-tout
- 1/2 tasse de champignons émincés
- 1/2 tasse de tofu, en dés
- 1 échalote émincée

Faire cuire les nouilles dans de l'eau bouillante et les répartir dans les bols. Dans une casserole, amener le bouillon de légumes à ébullition. Réduire la chaleur et y plonger la carotte, le céleri, les fèves germées, les pois mange-tout, les champignons et le tofu. Laisser mijoter jusqu'à ce que les légumes soient *al dente*. Verser la soupe sur les nouilles. Garnir d'échalotes.

SOUPE DE TOFU AU RIZ
4 portions

- 4 tasses de bouillon de légumes
- 1 poivron rouge, en dés
- 1 tasse de tofu, en dés
- 3/4 de tasse de riz cuit
- 1/4 de tasse de persil frais, haché
- Sauce soya

Dans une casserole, amener le bouillon de légumes à ébullition. Ajouter le poivron rouge, réduire la chaleur et laisser mijoter quelques minutes. Ajouter le tofu, le riz et le persil. Au moment de servir, verser une larme de sauce soya dans chaque bol.

Comme toutes les soupes-repas orientales, celle-ci a le mérite d'être peu calorique.

SOUPE DE LÉGUMES AU TOFU

4 portions

- 1 c. à soupe de beurre
- 1 petit oignon, en dés
- 1 gousse d'ail hachée
- 1 carotte, en dés
- 1 branche de céleri, en dés
- Feuilles de céleri, au goût
- 1 poireau, en dés
- 1 pomme de terre, en dés
- 1/2 tasse de navet, en dés
- 1 tasse de tofu, en dés
- 4 tasses de bouillon de légumes ou de poulet
- 1 boîte de tomates, en dés, et leur jus
- 1/4 de tasse de persil frais, haché
- 1 feuille de laurier
- 1 pincée de basilic séché
- 1 pincée d'origan séché
- 1 c. à soupe de sauce Worcestershire
- Sel
- Poivre

Dans une casserole, faire revenir l'oignon et l'ail à feu doux dans le beurre jusqu'à ce qu'ils soient tendres. Ajouter la carotte, le céleri et ses feuilles, le poireau, la pomme de terre, le navet, le tofu, le bouillon, les tomates et leur jus, le persil, le laurier, le basilic, l'origan et la sauce Worcestershire. Amener à ébullition, réduire la chaleur et laisser mijoter jusqu'à ce que les légumes soient tendres. Saler et poivrer au besoin. Accompagner de pain ou de craquelins.

> Vous n'avez pas de poireau? Libre à vous de modifier cette recette à votre guise.

SOUPE POULET ET LÉGUMES

8 portions

- 2 c. à soupe d'huile d'olive
- 1 oignon émincé
- 1 tasse de poireaux hachés
- 2 pommes de terre coupées en cubes
- 3 carottes coupées en rondelles
- 1 tasse de haricots verts
- 1 tasse de poulet cuit coupé en morceaux
- 6 tasses de bouillon de poulet
- 1 c. à thé de paprika
- Sel et poivre

Faire sauter les morceaux de poireaux et l'oignon dans l'huile d'olive. Ajouter les autres légumes. Assaisonner de paprika, de sel et de poivre au goût. Verser sur les légumes le bouillon de poulet. Amener à ébullition. Baisser le feu et laisser mijoter à feu doux pendant 30 minutes. Ajouter les morceaux de poulet cuit. Poursuivre la cuisson 15 minutes. Servir.

SOUPE AU POULET ET AUX CREVETTES

8 portions

- 2 c. à thé d'huile d'olive
- 2 c. à soupe de farine
- 3 oignons hachés finement
- 4 gousses d'ail émincées
- 3 poivrons coupés en morceaux
- 8 tasses de bouillon de poulet
- 6 tomates fraîches (ou en conserve)
- 1 tasse de riz à grain long
- 1 tasse de morceaux de poulet cuit
- 1 tasse de petites crevettes précuites
- Quelques gouttes de sauce tabasco
- Sel et poivre, au goût

Chauffer l'huile. Ajouter les oignons, l'ail et les poivrons. Faire cuire à feu doux pendant 5 minutes. Ajouter la farine et le poivre. Bien mélanger avec les légumes et poursuivre la cuisson pendant 5 minutes. Verser le bouillon de poulet sur les légumes. Faire chauffer le bouillon de poulet quelques minutes. Ajouter le riz et couvrir. Poursuivre la cuisson à feu moyen pendant 20 minutes. Ajouter les tomates, le poulet cuit et les crevettes. Verser quelques gouttes de sauce tabasco. Poursuivre la cuisson à feu doux pendant 10 minutes. Servir immédiatement.

Vous pouvez épicer davantage cette soupe, en remplaçant le poivre par du piment de Cayenne.

SOUPE AU CHOU ET À LA SAUCISSE

8 portions

- 3 tasses de chou râpé
- 1 gros oignon haché
- 1 tasse de carottes coupées en rondelles
- 1 tasse de pommes de terre coupées en cubes
- 2 c. à thé d'huile d'olive
- 8 tasses de bouillon de bœuf
- 2 c. à soupe de persil frais
- 6 saucisses allemandes
- Sel et poivre, au goût

Faire revenir les oignons dans l'huile d'olive. Y verser le bouillon de bœuf et porter à ébullition. Ajouter les autres légumes. Assaisonner de sel et de poivre au goût. Laisser mijoter à feu moyen pendant 45 minutes. Ajouter les saucisses. Poursuivre la cuisson à feu moyen pendant 15 minutes. Servir en garnissant de persil frais.

Les végétariens n'ont qu'à ne pas ajouter de saucisses et la soupe demeure aussi nourrissante pour un petit lunch rapide.

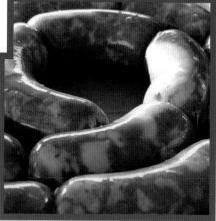

SOUPE DE PÂTES AU FROMAGE

8 portions

- 1 c. à soupe d'huile d'olive
- 1 c. à soupe de beurre
- 1/2 tasse d'oignon haché finement
- 1 branche de céleri hachée
- 1/2 tasse de carottes émincées
- 5 tomates pelées et hachées en gros morceaux
- 8 tasses de bouillon de légumes
- 1/2 c. à thé d'origan séché
- 1 tasse de pâtes alimentaires (macaronis ou petites coquilles)
- Fromage parmesan râpé

Faire chauffer l'huile et le beurre et y faire dorer les oignons. Ajouter le céleri et les carottes et poursuivre la cuisson pendant quelques minutes à feu doux. Ajouter les tomates et l'origan. Assaisonner au goût, de sel et de poivre. Verser le bouillon de légumes. Laisser mijoter à feu moyen pendant 10 minutes. Ajouter les pâtes et amener à ébullition. Laisser mijoter à feu moyen jusqu'à ce que les pâtes soient bien cuites. Verser dans les bols et garnir de fromage râpé.

SOUPE AUX BETTERAVES
10 portions

- 4 tasses d'eau
- 4 betteraves de taille moyenne
- 2 c. à soupe d'huile d'olive
- 3 gousses d'ail hachées finement
- 2 gros oignons hachés
- 4 carottes coupées en rondelles
- 1 gros rutabaga coupé en morceaux
- 8 tasses de bouillon de légumes
- 1 c. à thé de romarin
- Sel et poivre

Faire bouillir les betteraves pelées et coupées en morceaux pendant 25 minutes. Réserver. Faire cuire l'ail et l'oignon à feu doux dans l'huile chaude. Ajouter les autres légumes et faire revenir pendant quelques minutes. Verser les 8 tasses de bouillon de légumes. Amener à ébullition. Laisser cuire pendant une vingtaine de minutes à feu moyen. Ajouter le romarin, le sel et le poivre au goût. Ajouter les betteraves précuites et poursuivre la cuisson une dizaine de minutes. Servir bien chaud.

> Il est préférable de moins saler vos légumes et vos viandes lorsque vous utilisez du bouillon en conserve, car il est déjà fortement salé.

SOUPE CHILI

3 portions

- 2 c. à soupe d'huile d'olive
- 1 gros oignon haché
- 3 gousses d'ail émincées
- 2 tasses de bouillon de légumes
- 1 boîte de tomates non égouttées
- 3 c. à thé d'assaisonnement au chili
- 1/2 c. à thé de piments forts broyés
- 1 boîte de haricots rouges non égouttés
- Quelques gouttes de tabasco
- Sel et poivre, au goût
- 1 c. à thé de basilic

Faire revenir l'ail et l'oignon dans l'huile d'olive. Ajouter le bouillon de légumes et les tomates non égouttées. Amener à ébullition. Baisser le feu et laisser mijoter 15 minutes à feu moyen. Assaisonner de chili, de piments forts broyés, de sel et de poivre. Ajouter quelques gouttes de tabasco. Ajouter les haricots rouges. Laisser mijoter pendant 20 minutes à feu doux.

SOUPE À L'OIGNON GRATINÉE

8 portions

- 4 tasses de bouillon
  de poulet
- 4 tasses de bouillon de bœuf
- 4 gros oignons
- 2 c. à soupe de beurre
- 1/2 c. à thé de sucre
- 1/2 tasse de vin rouge ou de
  vin blanc

- 1/2 c. à thé de thym
- 1 c. à soupe de farine
- Sel et poivre
- Pain grillé
- Fromage gruyère râpé

Trancher les oignons en fines rondelles. Faire revenir les oignons dans le beurre chaud. Ajouter le sucre. Saupoudrer de farine en mélangeant bien. Verser le bouillon sur les oignons. Ajouter le vin et le thym. Saler et poivrer au goût. Laisser mijoter 30 minutes. Verser dans un bol à soupe profond. Garnir d'une tranche de pain grillé, recouverte de fromage gruyère râpé. Passer sous le gril du four pour faire fondre le fromage.

> Vous pouvez remplacer le fromage gruyère par de l'emmenthal.

SOUPE À L'OIGNON ET À LA BIÈRE

4 portions

- 1 c. à soupe de beurre
- 4 oignons finement haché
- 3 tasses de bouillon de bœuf
- 1 bouteille de bière blonde
- 1 feuille de laurier
- 1 pincée de thym séché
- 2 c. à soupe d'huile d'olive
- Sel
- Poivre
- 4 tranches de pain grillées
- 1 tasse de fromage fort, râpé (gruyère, cheddar, etc.)

Dans une casserole, faire revenir les oignons à feu doux dans le beurre jusqu'à ce qu'ils soient translucides. Ajouter le bouillon de bœuf, la bière, le laurier, le thym et l'huile d'olive. Amener à ébullition, réduire la chaleur et laisser mijoter jusqu'à ce que les oignons soient tendres. Saler et poivrer au besoin. Dans des bols à soupe à l'oignon, répartir la préparation. Mettre une tranche de pain par bol et répartir le fromage. Faire griller au four jusqu'à ce que le fromage prenne une belle couleur dorée. Servir avec des marinades de légumes (cornichons sucrés et salés, betteraves, etc.) et des viandes froides.

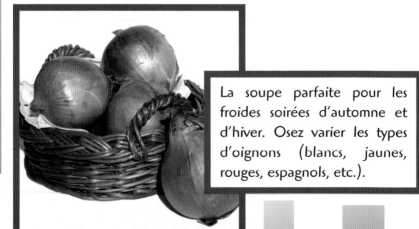

La soupe parfaite pour les froides soirées d'automne et d'hiver. Osez varier les types d'oignons (blancs, jaunes, rouges, espagnols, etc.).

SOUPE DE JULIENNES AUX ŒUFS

4 portions

- 1 c. à soupe de beurre
- 1 petit oignon haché
- 1 carotte, en julienne
- 1 branche de céleri, en julienne
- 1 courgette verte, en julienne
- 4 tasses de bouillon de légumes ou de poulet
- 1 pincée de fines herbes
- 2 œufs légèrement battus
- Sel
- Poivre
- Huile d'olive

Dans une casserole, faire revenir l'oignon à feu doux dans le beurre jusqu'à ce qu'il soit translucide. Ajouter les juliennes de carotte, de céleri et de courgette, le bouillon et les fines herbes. Amener à ébullition, réduire la chaleur et laisser mijoter jusqu'à ce que les légumes soient tendres. Tout en brassant la soupe, verser lentement les œufs. Ils feront des filaments dans le bouillon. Saler et poivrer au besoin. Au moment de servir, verser un filet d'huile d'olive dans chaque bol. Servir avec du pain ou des craquelins.

Pour briser la routine, rien de mieux que de jouer avec les formes. En petits ou en gros dés, en rondelles, en lanières, en julienne, il y a mille façons de couper et de présenter les légumes !

SOUPE AUX SIX LÉGUMES ET LÉGUMINEUSES

4 portions

- 1 c. à soupe de beurre
- 1 petit oignon, en dés
- 1 gousse d'ail
  finement hachée
- 1 carotte, en dés
- 1 branche de céleri, en dés
- 1 petite pomme de terre,
  en dés
- 1/2 tasse de navet, en dés
- 1/2 tasse de poireau, en dés
- 4 tasses de bouillon
  de poulet

- 1 boîte de tomates, en dés,
  et leur jus
- 1 pincée de sauge
- 1 pincée de sarriette
- 1 pincée de marjolaine
- 1 tasse d'un mélange de
  six légumineuses en boîte,
  rincées et égouttées
- Sel
- Poivre

Dans une casserole, faire revenir l'oignon et l'ail à feu doux dans le beurre jusqu'à ce qu'ils soient tendres. Ajouter la carotte, le céleri, la pomme de terre, le navet, le poireau, le bouillon de poulet, les tomates et leur jus, la sauge, la sarriette, la marjolaine et les légumineuses. Amener à ébullition, réduire la chaleur et laisser mijoter jusqu'à ce que les légumes soient tendres. Saler et poivrer au besoin. Servir avec du pain ou des craquelins.

On trouve sur le marché des boîtes de mélange de six légumineuses. Ouvrez, rincez, égouttez et le tour est joué !

SOUPE DE LENTILLES AUX COURGETTES

4 portions

- 1 c. à soupe de beurre
- 1 petit oignon, en dés
- 1 gousse d'ail hachée
- 1 tasse de courgettes vertes et/ou jaunes, en dés
- 1/2 tasse de poivron rouge, en dés
- 1/2 tasse de lentilles en boîte, rincées et égouttées
- 4 tasses de bouillon de légumes
- 1 pincée de fines herbes séchées
- Sel
- Poivre

Dans une casserole, faire revenir l'oignon et l'ail à feu doux dans le beurre jusqu'à ce qu'ils soient tendres. Ajouter les courgettes, le poivron rouge, les lentilles, le bouillon de légumes et les fines herbes. Amener à ébullition. Réduire la chaleur et laisser mijoter jusqu'à ce que les légumes soient tendres. Saler et poivrer au besoin. Servir avec du pain ou des craquelins.

Nous suggérons un bouillon de légumes pour effectuer cette recette. Libre à vous d'utiliser un bouillon de poulet si vous en avez envie.

SOUPE AUX LÉGUMES, DOLIQUES À ŒIL NOIR ET BACON

4 portions

- 1 c. à soupe de beurre
- 1 petit oignon, en dés
- 1 gousse d'ail hachée
- 6 tranches de bacon, en morceaux
- 1/2 tasse de carottes, en dés
- 1/2 tasse de céleri, en dés
- Feuilles de céleri, au goût
- 1/2 tasse d'épinards, lavés et ciselés
- 4 tasses de bouillon de poulet
- 3/4 de tasse de doliques à œil noir en boîte, rincés et égouttés
- 1 feuille de laurier
- 3 clous de girofle
- 1 pincée de thym séché
- Sel
- Poivre

Dans une casserole, faire revenir à feu doux dans le beurre l'oignon, l'ail et le bacon pendant quelques minutes. Ajouter les carottes, le céleri et ses feuilles, les épinards, le bouillon de poulet, les doliques, le laurier, les clous de girofle et le thym. Amener à ébullition, réduire la chaleur et laisser mijoter jusqu'à ce que les légumes soient cuits. Saler et poivrer au besoin. Servir avec du pain ou des craquelins.

Le dolique à œil noir fait partie de la famille des légumineuses. Ce haricot doit son nom à sa couleur : il est beige avec une tache noire.

SOUPE AUX LÉGUMES ET COQUILLETTES

4 portions

- 1 c. à soupe de beurre
- 1 petit oignon, en dés
- 1 gousse d'ail hachée
- 1 poireau, en dés
- 2 carottes, en dés
- 1 pomme de terre, en dés
- 2 branches de céleri, en dés
- Feuilles de céleri, au goût
- 4 tasses de bouillon de poulet
- 1 boîte de tomates, en dés, et leur jus
- 1 feuille de laurier
- 1 pincée de basilic séché
- 1 pincée d'origan séché
- 1 c. à soupe de sauce Worcestershire
- 3/4 de tasse de coquillettes cuites
- Sel
- Poivre

Dans une casserole, faire revenir l'oignon et l'ail à feu doux dans le beurre jusqu'à ce qu'ils soient tendres. Ajouter le poireau, les carottes, la pomme de terre, le céleri et ses feuilles, le bouillon de poulet, les tomates et leur jus, le laurier, le basilic, l'origan et la sauce Worcestershire. Amener à ébullition, réduire la chaleur et laisser mijoter jusqu'à ce que les légumes soient tendres. Ajouter les coquillettes. Saler et poivrer au besoin. Servir avec quelques tranches de fromage ou des viandes froides.

SOUPE AUX POIS

8 portions

- 2 tasses de pois entiers secs
- 8 tasses d'eau
- 1/2 lb (250 g) de lard salé ou de bacon
- 1 oignon finement haché
- 2 carottes coupées en dés
- 1/2 c. à thé de sarriette (ou d'origan)
- 1 feuille de laurier
- 1 branche de céleri coupée finement

Bien rincer les pois. Les laisser tremper toute la nuit. Les faire bouillir dans leur eau de trempage. Ajouter le lard salé, la feuille de laurier, les oignons et les carottes. Bien assaisonner avec la sarriette. Saler et poivrer au goût. Laisser mijoter à feu doux pendant 3 heures. Servir bien chaud.

Vous pouvez remplacer le lard et le bacon par 2 tasses de bouillon de légumes, en réduisant d'autant le nombre de tasses d'eau.

SOUPE AU POULET, NOUILLES ET MAÏS

4 portions

- 1 c. à soupe de beurre
- 1 petit oignon, en dés
- 1 branche de céleri, en dés
- Feuilles de céleri, au goût
- 1 feuille de laurier
- 1 pincée de graines d'anis
- 4 tasses de bouillon de poulet

- 1 tasse de nouilles aux œufs cuites
- 3/4 de tasse de poulet cuit, en dés
- 1/2 tasse de maïs en grains cuit
- Persil frais, haché
- Sel et poivre

Dans une casserole, faire revenir l'oignon à feu doux dans le beurre jusqu'à ce qu'il soit translucide. Ajouter le céleri et ses feuilles, le laurier, les graines d'anis et le bouillon de poulet. Amener à ébullition, réduire la chaleur et laisser mijoter jusqu'à ce que les légumes soient tendres. Saler et poivrer au besoin. Ajouter les nouilles, le poulet et le maïs. Au moment de servir, parsemer de persil frais.

SOUPE AU POULET, TOMATES ET RIZ

4 portions

- 1 c. à soupe de beurre
- 1 petit oignon, en dés
- 1 gousse d'ail hachée
- 2 branches de céleri, en dés
- Feuilles de céleri, au goût
- 1 feuille de laurier
- 1 pincée de basilic séché
- 1 pincée d'origan séché
- 3 tasses de bouillon de poulet
- 1 boîte de tomates, en dés, avec leur jus
- Sel
- Poivre
- 1 tasse de riz cuit
- 1 tasse de poulet cuit, en dés
- Huile d'olive
- Persil frais, haché

Dans une casserole, faire revenir l'oignon et l'ail à feu doux dans le beurre jusqu'à ce qu'ils soient tendres. Ajouter le céleri et ses feuilles, le laurier, le basilic, l'origan, le bouillon de poulet, les tomates et leur jus. Amener à ébullition, réduire la chaleur et laisser mijoter jusqu'à ce que les légumes soient tendres. Saler et poivrer au besoin. Ajouter le riz et le poulet. Au moment de servir, verser un filet d'huile d'olive dans chaque bol et parsemer de persil frais.

Si vous le souhaitez, au moment de servir, vous pouvez saupoudrer un peu de parmesan râpé sur chaque portion.

SOUPE FORESTIÈRE AUX CHAMPIGNONS ET AU JAMBON

4 portions

- 1 c. à soupe de beurre
- 1 petit oignon, en dés
- 1/2 tasse de jambon cuit, en dés
- 1 tasse de champignons émincés
- 2 c. à soupe de farine
- 1 tasse de pommes de terre, en dés
- 4 tasses de bouillon de poulet
- 1/2 tasse de persil haché
- 3/4 de tasse de lait
- Sel
- Poivre

Dans une casserole, faire revenir à feu doux dans le beurre l'oignon, le jambon et les champignons jusqu'à ce que ces derniers aient rendu toute leur eau. Ajouter la farine et bien mélanger. Incorporer les pommes de terre, le bouillon de poulet et le persil. Amener à ébullition, réduire la chaleur et laisser mijoter à feu doux jusqu'à ce que les pommes de terre soient tendres. Ajouter le lait. Saler et poivrer au besoin. Servir avec du pain ou des craquelins.

Pour une présentation plus spectaculaire et une explosion de saveurs, osez varier les types de champignons (blancs, pleurotes, shiitake, etc.)

SOUPE À L'ORGE ET AUX ÉPINARDS

4 portions

- 1 c. à soupe de beurre
- 1 petit oignon, en dés
- 2 branches de céleri, en dés
- 4 tasses de bouillon de poulet
- 1 paquet d'épinards, lavés et ciselés
- 1 tasse d'orge cuit
- Sel
- Poivre
- Huile d'olive
- Parmesan râpé
- Basilic frais, haché

Dans une casserole, faire revenir l'oignon à feu doux dans le beurre jusqu'à ce qu'il soit translucide. Ajouter le céleri, le bouillon de poulet et les épinards. Amener à ébullition, réduire la chaleur et laisser mijoter jusqu'à ce que les légumes soient tendres. Ajouter l'orge. Saler et poivrer au besoin. Au moment de servir, verser un filet d'huile d'olive dans chaque bol. Saupoudrer de parmesan et décorer de basilic.

BISQUE DE HOMARD

6 portions

- 1 c. à soupe d'huile végétale
- 2 c. à soupe de beurre
- 1 gros oignon haché fin
- 1/2 tasse de céleri haché
- 3 c. à soupe de farine
- 2 c. à soupe de purée de tomates

- 2 tasses de bouillon de poisson
- 2 tasses de lait
- 1 tasse de crème
- Sel et poivre, au goût
- 1 lb (500 g) de chair de homard cuite

Faire chauffer le beurre et l'huile dans une casserole. Y faire revenir les oignons et le céleri. Saupoudrer de farine et poursuivre la cuisson, en mélangeant bien. Ajouter la purée de tomates et bien mélanger. Ajouter le bouillon de poisson, le lait et la crème. Laisser mijoter une quinzaine de minutes. Ajouter la chair de homard. Assaisonner de sel et de poivre au goût. Laisser mijoter à feu doux quelques minutes. Passer au mélangeur pour obtenir une consistance lisse.

> Vous pouvez remplacer le homard par des crevettes ou du crabe.

SOUPES-REPAS

SOUPE DE CREVETTES À LA TOMATE

4 portions

- 1 c. à soupe de beurre
- 1 petit oignon, en dés
- 1 gousse d'ail hachée
- 1/2 tasse de vin blanc
- 1 branche de céleri, en dés
- Feuilles de céleri, au goût
- 3 tasses de fumet de poisson ou de bouillon de poulet
- 1 boîte de tomates, en dés, et leur jus
- 1 feuille de laurier
- 1 pincée de cerfeuil séché
- 1 tasse de grosses crevettes grises décortiquées
- Sel
- Poivre
- 1/2 tasse de crème 35 % M.G.
- Huile d'olive

Dans une casserole, faire revenir l'oignon et l'ail à feu doux dans le beurre pendant quelques minutes. Ajouter le vin blanc et laisser réduire le liquide de moitié. Ajouter le céleri et ses feuilles, le fumet ou le bouillon, les tomates et leur jus, le laurier et le cerfeuil. Amener à ébullition, réduire la chaleur et laisser mijoter jusqu'à ce que les légumes soient tendres. Ajouter les crevettes. Laisser mijoter jusqu'à ce qu'elles soient cuites. Saler et poivrer au besoin. Incorporer la crème. Au moment de servir, verser un filet d'huile d'olive dans chaque bol. Accompagner de pain croûté.

Vous pouvez aussi effectuer cette recette avec du poisson.

SOUPE DE POMMES DE TERRE, POIREAUX ET POISSON BLANC

4 portions

- 1 c. à soupe de beurre
- 1 petit oignon, en dés
- 1 poireau, en dés
- 1/2 tasse de vin blanc
- 1 pomme de terre, en dés
- 1 branche de céleri, en dés
- 4 tasses de bouillon de poulet
- 1 pincée de graines d'anis
- 1 pincée d'aneth séché
- 1 tasse de poisson blanc, en morceaux
- Sel
- Poivre
- Huile d'olive

Dans une casserole, faire revenir l'oignon et le poireau à feu doux dans le beurre pendant quelques minutes. Ajouter le vin blanc et laisser réduire le liquide de moitié. Ajouter la pomme de terre, le céleri, le bouillon de poulet, les graines d'anis et l'aneth. Amener à ébullition, réduire la chaleur et laisser mijoter jusqu'à ce que les légumes soient tendres. Ajouter le poisson. Laisser mijoter jusqu'à ce que le poisson soit cuit. Saler et poivrer au besoin. Au moment de servir, verser un filet d'huile d'olive dans chaque bol. Accompagner de pain ou de craquelins.

La sole, l'aiglefin, la morue, le turbot ou un mélange de poissons blancs: laissez libre cours à votre imagination !

SOUPE AUX POMMES DE TERRE, MAÏS ET BACON

4 portions

- 1 c. à soupe de beurre
- 1 petit oignon, en dés
- 6 tranches de bacon, en morceaux
- 2 c. à soupe de farine
- 3 tasses de bouillon de poulet
- 1 tasse de pommes de terre, en dés
- 3/4 de tasse de maïs en grains cuit
- 1 pincée d'estragon
- 1 tasse de lait ou de crème 15 % M.G.
- Sel
- Poivre
- Persil frais, haché

Dans une casserole, faire revenir l'oignon et le bacon à feu doux dans le beurre pendant quelques minutes. Saupoudrer de farine et bien mélanger. Ajouter le bouillon de poulet, les pommes de terre, le maïs et l'estragon. Amener à ébullition, réduire la chaleur et laisser mijoter jusqu'à ce que les pommes de terre soient tendres. Ajouter le lait ou la crème, et réchauffer. Saler et poivrer au besoin. Au moment de servir, parsemer la soupe de persil. Accompagner de pain ou de craquelins.

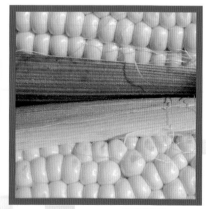

Une soupe riche et onctueuse qui s'inspire de la Nouvelle-Angleterre.

SOUPE AUX BOULETTES DE VIANDE

10 portions

- 2 c. à soupe d'huile d'olive
- 2 oignons coupés en dés
- 3 gousses d'ail émincées
- 4 carottes coupées en rondelles
- 1 chou coupé en gros morceaux
- 1 tasse de pommes de terre crues coupées en dés
- 2 feuilles de laurier
- 1 c. à soupe de piment fort broyé
- 1 c. à thé de coriandre séchée
- 10 tasses de bouillon de bœuf
- 2 lb (1 kg) de bœuf haché mi-maigre
- 1 œuf
- 1/2 tasse de chapelure
- Quelques gouttes de sauce Worcestershire
- Quelques gouttes de tabasco
- Sel et poivre, au goût

Chauffer l'huile et y faire revenir l'ail et les oignons à feu doux. Ajouter les carottes et les morceaux de chou. Assaisonner de sel et de poivre au goût. Faire cuire à feu moyen pendant 5 minutes. Pendant ce temps, façonner les boulettes de viande, en ajoutant un œuf et de la chapelure au bœuf haché. Ajouter le bouillon de bœuf aux légumes dans la casserole. Y déposer les boulettes de viande et les pommes de terres en dés. Ajouter les feuilles de laurier, la coriandre et le piment fort broyé. Poursuivre la cuisson à feu moyen pendant 30 minutes. Ajouter quelques gouttes de sauce Worcestershire et de tabasco et poursuivre la cuisson à feu doux pendant 10 minutes.

SOUPE MINESTRONE

4 portions

- 1 c. à soupe de beurre
- 1 petit oignon, en dés
- 1 gousse d'ail finement hachée
- 1 poireau, en dés
- 1 carotte, en dés
- 1 branche de céleri, en dés
- 1 courgette, en dés
- 1 tasse de tomates italiennes, en dés

- 1 pincée de basilic séché
- 4 tasses de bouillon de poulet
- 1/2 tasse de petites pâtes cuites
- 1/2 tasse de haricots blancs en boîte, rincés et égouttés
- Sel
- Poivre
- Parmesan râpé

Dans une casserole, faire revenir l'oignon et l'ail à feu doux dans le beurre jusqu'à ce qu'ils soient tendres. Ajouter le poireau, la carotte, le céleri, la courgette, les tomates, le basilic et le bouillon de poulet. Amener à ébullition, réduire la chaleur et laisser mijoter jusqu'à ce que les légumes soient cuits. Ajouter les pâtes et les haricots. Saler et poivrer au besoin. Au moment de servir, parsemer chaque bol de parmesan râpé.

SOUPE AU VEAU ET AUX CONCOMBRES

8 portions

- 1 c. à soupe d'huile d'olive
- 2 c. à soupe de beurre
- 2 lb (1 kg) de cubes de veau coupés en deux
- 2 gousses d'ail hachées finement
- 1 gros oignon tranché en rondelles
- 1 c. à soupe de farine
- 2 concombres épépinés et tranchés
- 3 tomates pelées et coupées en quartiers
- 8 tasses de bouillon de bœuf ou de veau
- Persil frais

Faire chauffer l'huile et le beurre. Y faire venir l'ail et les oignons à feu doux. Ajouter les cubes de veau. Faire dorer la viande. Ajouter le bouillon de bœuf ou de veau. Assaisonner au goût, de sel et de poivre. Laisser mijoter pendant 1 heure à feu moyen sans faire bouillir. Ajouter les tomates et les concombres et laisser mijoter 20 minutes supplémentaires à feu doux. Servir en garnissant de persil frais.

SOUPES-REPAS

CRÈMES

CRÈME DE POULET

8 portions

- 8 tasses de bouillon de poulet
- 2 c. à soupe de beurre
- 2 c. à soupe de farine
- 2 oignons hachés finement
- 2 tasses de morceaux de poulet cuit
- 2 c. à soupe de persil frais, haché
- 2 tasses de crème
- Sel et poivre, au goût

Faire chauffer le beurre et la farine, en mélangeant bien, sur feu doux pendant 2 minutes. Verser le bouillon de poulet lentement, en ne cessant pas de fouetter le liquide. Ajouter les oignons et le persil et laisser mijoter à feu moyen pendant 20 minutes. Ajouter les morceaux de poulet. Assaisonner au goût, de sel et de poivre. Laisser mijoter 10 minutes à feu doux. Passer ensuite au mélangeur. Remettre la purée dans la casserole. Ajouter la crème lentement en ne cessant pas de fouetter le liquide. Réchauffer quelques minutes. Servir immédiatement.

Vous pouvez obtenir une crème encore plus onctueuse, en mélangeant un jaune d'œuf à la crème avant de la verser dans le bouillon chaud.

CRÈME DE LÉGUMES
6 portions

- 4 tasses d'eau
- 1 tasse de carottes coupées en rondelles
- 1 tasse de rutabaga coupé en morceaux
- 1 brocoli coupé en petits bouquets
- 1 chou-fleur coupé en petits bouquets
- Sel et poivre, au goût
- 1 tasse de crème
- 1 c. à soupe de ciboulette fraîche

Amener l'eau à ébullition. Y placer tous les légumes. Assaisonner au goût, de sel et de poivre. Laisser cuire à feu moyen pendant 30 minutes. Passer les légumes cuits au mélangeur. Remettre les légumes dans la casserole. Faire chauffer doucement, en y ajoutant la crème. Servir bien chaud avec une pincée de ciboulette fraîche hachée.

Pour cette crème aux légumes, vous pouvez substituer les légumes mentionnés par d'autres (choux de Bruxelles, navet, etc.).

CRÈME DE MAÏS

6 portions

- 6 tasses de bouillon de poulet
- 2 c. à soupe d'huile végétale
- 2 gousses d'ail émincées
- 1 poivron vert coupé en morceaux
- 4 tranches de jambon cuit coupé en lanières
- 2 boîtes de 14 oz de maïs en crème
- 1 boîte de 14 oz de grains de maïs
- 6 oignons verts hachés

Chauffer l'huile dans une marmite et y faire revenir l'ail et les poivrons. Ajouter le jambon cuit dès que le poivron a commencé à ramollir et faire cuire quelques minutes de plus. Verser le bouillon de poulet et porter à ébullition. Ajouter la crème de maïs et les grains de maïs en conserve bien égouttés. Faire chauffer 5 minutes à feu moyen. Incorporer les oignons verts. Saler et poivrer au goût.

Pour épaissir la soupe, si vous la jugez trop liquide, il suffit de mélanger un peu de fécule de maïs à de l'eau et de l'ajouter à la fin de la cuisson.

CRÈMES

CRÈME DE POIS VERTS

6 portions

- 3 tasses de pois frais ou surgelés
- 3 tasses d'eau
- 2 oignons hachés finement
- 1/2 c. à thé de basilic
- 1 tasse de crème
- Sel et poivre

Amener l'eau à ébullition. Y jeter les pois verts et les oignons. Assaisonner au goût, de sel et de poivre. Ajouter le basilic. Laisser mijoter jusqu'à ce que les pois soient ramollis. Passer au mélangeur. Replacer dans la casserole. Assaisonner au goût. Ajouter la crème et laisser réchauffer doucement. Servir bien chaud.

Vous pouvez utiliser des pois en conserve pour cette recette. Il suffira de les réchauffer un peu avant de les placer dans le mélangeur.

CRÈME DE BROCOLI
10 portions

- 4 tasses d'eau
- 2 branches de céleri hachées
- 1 oignon émincé
- 1 gros brocoli coupé en petits bouquets
- 2 c. à soupe de beurre

- 2 c. à soupe de farine
- 4 tasses de bouillon de poulet
- 1/2 c. à thé de thym
- 1 tasse de crème
- Sel et poivre

Amener l'eau légèrement salée à ébullition. Y placer tous les légumes (céleri, oignon et brocoli) et les laisser cuire 20 minutes ou jusqu'à ce que le brocoli et le céleri soient tendres. Réserver les légumes et conserver 2 tasses de jus de cuisson. Faire un roux avec le beurre et la farine, en les mélangeant à feu doux pendant quelques minutes. Ajouter le jus de cuisson et le bouillon de légumes doucement, en fouettant les liquides pour qu'ils s'incorporent bien au roux. Laisser mijoter jusqu'à ce que le tout épaississe. Ajouter les légumes précuits et laisser mijoter à feu doux pendant 15 minutes. Passer le tout au mélangeur et replacer dans la casserole. Terminer la préparation en ajoutant la crème. Assaisonner de sel et de poivre au goût.

Vous pouvez ajouter de la ciboulette, au moment de servir. La saveur de la ciboulette se marie très bien avec celle du brocoli.

CRÈMES

CRÈME DE NAVETS ET DE CAROTTES

4 portions

- 1 c. à soupe de beurre
- 1 petit oignon, en dés
- 2 tasses de navets, en gros dés
- 2 tasses de carottes tranchées
- 4 tasses de bouillon de poulet
- Sel
- Poivre
- 3 c. à soupe de sirop d'érable
- 1 tasse de crème 35 % M.G.
- Zeste d'orange
- Persil

Dans une casserole, faire revenir l'oignon à feu doux dans le beurre jusqu'à ce qu'il soit tendre. Ajouter les navets, les carottes et le bouillon de poulet. Amener à ébullition, réduire la chaleur et laisser mijoter jusqu'à ce que les légumes soient tendres. Passer au mélangeur et remettre dans la casserole. Saler et poivrer au besoin. Ajouter le sirop d'érable et la crème, et mélanger. Au moment de servir, garnir de persil et de zeste d'orange.

Avec sa touche de sirop d'érable, c'est une soupe à servir à l'époque des sucres!

CRÈME DE CAROTTES À L'ORANGE

4 portions

- 1 c. à soupe de beurre
- 1 petit oignon, en dés
- 1 tasse de céleri, en tranches
- Feuilles de céleri, au goût
- 3 tasses de carottes tranchées
- 3 clous de girofle
- 1 feuille de laurier
- 1/2 tasse de persil frais, haché
- Zeste d'une orange
- 2 tasses de jus d'orange
- 2 tasses de bouillon de poulet
- Sel et poivre
- 1 tasse de crème 35 % M.G.
- Zeste d'un citron

Dans une casserole, faire revenir l'oignon à feu doux dans le beurre jusqu'à ce qu'il soit translucide. Ajouter le céleri et ses feuilles, les carottes, les clous de girofle, le laurier, le persil, le zeste d'orange, le jus d'orange et le bouillon de poulet. Amener à ébullition, réduire la chaleur et laisser mijoter jusqu'à ce que les légumes soient tendres. Passer au mélangeur, puis remettre dans la casserole. Saler et poivrer au besoin, et incorporer la crème. Au moment de servir, décorer de zeste de citron.

CRÈME DE PANAIS

4 portions

- 1 c. à soupe de beurre
- 1 petit oignon, en dés
- 1 gousse d'ail hachée
- 3 tasses de bouillon de poulet
- 3 tasses de panais, en tronçons
- 1 branche de céleri, en tranches

- 1 pincée de cumin
- 1 pincée de coriandre en poudre
- Sel et poivre
- 1 tasse de crème 35 % M.G.
- Yogourt nature
- Persil frais, finement haché

Dans une casserole, faire revenir l'oignon et l'ail à feu doux dans le beurre jusqu'à ce qu'ils soient tendres. Ajouter le bouillon de poulet, le panais, le céleri, le cumin et la coriandre. Amener à ébullition, réduire la chaleur et laisser mijoter jusqu'à ce que les légumes soient tendres. Passer au mélangeur et remettre dans la casserole. Saler et poivrer au besoin. Incorporer la crème et bien mélanger. Au moment de servir, mettre dans chaque bol une cuillerée à soupe de yogourt nature et parsemer de persil.

CRÈMES

CRÈME DE CÉLERI

6 portions

- 1 pied de céleri coupé en morceaux
- 2 c. à soupe de beurre
- 1 oignon haché
- 1 pomme de terre coupée en dés
- 6 tasses de bouillon de légumes
- 1 feuille de laurier
- 1 tasse de lait
- Sel et poivre, au goût
- 2 c. à soupe de persil frais

Faire revenir l'oignon à feu doux dans le beurre. Ajouter les morceaux de céleri et de pomme de terre et bien mélanger. Verser le bouillon de légumes. Assaisonner de sel et de poivre au goût. Ajouter la feuille de laurier et porter à ébullition. Baisser le feu et laisser mijoter pendant 15 minutes. Passer la préparation au mélangeur. Remettre dans la casserole. Ajouter le lait et le persil frais. Réchauffer jusqu'à consistance désirée. Servir immédiatement.

CRÈME DE CAROTTES

8 portions

- 2 c. à soupe de beurre
- 8 carottes coupées en rondelles
- 1 oignon haché
- 2 pommes de terre coupées en morceaux
- 8 tasses de bouillon de poulet
- 1 c. à thé de sel de céleri
- 1 tasse de crème ou de lait
- Poivre

Faire fondre le beurre et y faire revenir les différents légumes, en brassant constamment. Baisser le feu et laisser cuire doucement pendant 10 minutes. Ajouter le bouillon de poulet et porter à ébullition. Assaisonner de sel de céleri et de poivre. Couvrir et poursuivre la cuisson pendant 20 minutes à feu doux. Passer au mélangeur. Remettre dans la casserole. Ajouter la crème et réchauffer lentement sans faire bouillir. Servir bien chaud.

> Pour alléger cette préparation, vous pouvez remplacer la crème par du lait.

CRÈMES

CRÈME D'AVOCAT À LA CORIANDRE

3 portions

- 1 c. à soupe de beurre
- 1 petit oignon, en dés
- 1 gousse d'ail
- 1 tasse de bouillon de poulet
- 3 tasses d'avocats murs, en dés
- 1/4 de tasse de coriandre fraîche, finement hachée
- Sel
- Poivre
- 1 tasse de crème 35 % M.G.
- Coriandre
- Yogourt nature

Dans une casserole, faire revenir l'oignon et l'ail à feu doux dans le beurre jusqu'à ce qu'ils soient tendres. Ajouter le bouillon de poulet et amener à ébullition. Réduire la chaleur et laisser mijoter 5 minutes. Entre-temps, passer les avocats au mélangeur. Ajouter à la purée d'avocat le contenu de la casserole, ainsi que la coriandre. Passer encore une fois au mélangeur. Remettre dans la casserole, saler et poivrer au besoin, incorporer la crème et réchauffer. Au moment de servir, ajouter une cuillerée à soupe de yogourt nature dans chaque bol et décorer avec des feuilles de coriandre.

Pour apporter une touche exotique à cette soupe, vous pouvez réduire de moitié la quantité de crème et ajouter 1/2 tasse de lait de coco.

CRÈMES

CRÈME DE TOMATES AU PERSIL

3 portions

- 1 c. à soupe de beurre
- 1 petit oignon haché
- 1 gousse d'ail hachée
- 4 tasses de tomates, épépinées, en dés
- 1 tasse de persil frais, haché

- Sel
- Poivre
- 1 tasse de crème 35 % M.G.
- Huile d'olive
- Feuilles de basilic frais

Dans une casserole, faire revenir l'oignon et l'ail à feu doux dans le beurre. Ajouter les tomates et le persil, et faire cuire jusqu'à ce que les tomates soient tendres. Passer au mélangeur. Remettre dans la casserole, saler et poivrer au besoin, et incorporer la crème. Au moment de servir, verser un filet d'huile d'olive dans chaque bol et décorer de feuilles de basilic.

Les jours de canicule, cette soupe peut très bien être servie froide.

CRÈME DE FINES HERBES FRAÎCHES

4 portions

- 2 c. à soupe de beurre
- 2 oignons hachés
- 2 gousses d'ail hachées
- 1 poireau, en rondelles
- 3 tasses de bouillon de poulet
- 2 tasses de persil frais, haché
- 1/2 tasse de feuilles de céleri hachées

- 1/4 de tasse de basilic frais, haché
- Sel
- Poivre
- 1 tasse de crème 35 % M.G.
- Ciboulette fraîche

Dans une casserole, faire revenir l'oignon et l'ail à feu doux dans le beurre jusqu'à ce qu'ils soient tendres. Ajouter le poireau, le bouillon de poulet, le persil, les feuilles de céleri et le basilic. Amener à ébullition, réduire la chaleur et laisser mijoter jusqu'à ce que les légumes soient tendres. Passer au mélangeur. Remettre dans la casserole, saler et poivrer au besoin, et incorporer la crème. Au moment de servir, décorer de ciboulette.

CRÈME DE COURGE MUSQUÉE À LA POIRE

4 portions

- 1 c. à soupe de beurre
- 1 petit oignon haché
- 3 tasses de courge musquée, en dés
- 1 tasse de poires fermes, pelées, en dés
- 4 tasses de bouillon de poulet
- 1 pincée de cannelle
- 1 pincée de muscade
- 1 pincée de cari
- Sel
- Poivre
- 1 tasse de crème 35 % M.G.
- Coriandre fraîche, hachée

Dans une casserole, faire revenir l'oignon à feu doux dans le beurre jusqu'à ce qu'il soit translucide. Ajouter la courge, les poires, le bouillon de poulet, la cannelle, la muscade et le cari. Amener à ébullition, réduire la chaleur et laisser mijoter jusqu'à ce que les courges soient tendres. Passer au mélangeur. Remettre dans la casserole, saler et poivrer au besoin, incorporer la crème et bien mélanger. Au moment de servir, ajouter un filet de crème et parsemer de coriandre.

CRÈME DE CHAMPIGNONS

6 portions

- 2 c. à soupe de beurre
- 2 c. à soupe de farine
- 1 oignon finement haché
- 1 lb (500 g) de champignons tranchés
- 6 tasses de bouillon de poulet
- 1 tasse de crème
- Sel et poivre, au goût
- Persil

Faire revenir les oignons et les champignons dans le beurre pendant 5 minutes. Ajouter la farine et bien mélanger. Poursuivre la cuisson pendant 2 minutes. Ajouter le bouillon de poulet. Assaisonner au goût, de sel et de poivre. Laisser mijoter pendant 30 minutes à découvert. Passer au mélangeur et remettre dans la casserole. Ajouter la crème et faire réchauffer à feu doux. Servir immédiatement, en garnissant de persil frais haché.

Pour obtenir un goût plus raffiné, vous pouvez varier les variétés de champignons que vous utilisez.

Vous pouvez garnir de cretons pour rendre la soupe encore plus nourrissante.

CRÈME D'ASPERGES
8 portions

- 4 tasses d'eau
- 2 tasses d'asperges coupées en tronçons (une quinzaine environ)
- 2 c. à soupe de beurre
- 2 c. à soupe de farine
- 4 tasses de bouillon de légumes 1/4 c. à thé de muscade
- 1 c. à soupe de persil frais
- 2 tasses de crème ou de lait
- Sel et poivre, au goût

Faire cuire les asperges dans l'eau bouillante pendant 5 minutes. Réserver les asperges et conserver 1 tasse du bouillon de cuisson. Faire chauffer le beurre et la farine à feu doux pendant 2 minutes. Verser doucement le bouillon de légumes et l'eau de cuisson sur le beurre et la farine en brassant constamment. Amener à ébullition. Ajouter les asperges. Assaisonner au goût de sel et de poivre. Laisser mijoter à feu doux quelques minutes. Passer au mélangeur et remettre dans la casserole. Ajouter la crème ou le lait et réchauffer doucement, en évitant de faire bouillir. Servir chaud.

Vous pouvez conserver les têtes des asperges pour décorer la crème au moment de servir.

CRÈME AUX HUÎTRES

4 portions

- 2 tasses d'huîtres en conserve avec leur jus
- 2 c. à soupe de beurre
- 1 grosse pomme de terre coupée en dés
- 2 branches de céleri coupées en morceaux
- 1/2 tasse d'oignons verts finement hachés
- 2 c. à soupe de farine
- 2 tasses de bouillon de poulet
- 1 tasse de lait
- 1 tasse de crème
- Sel et poivre, au goût
- 1 c. à thé de paprika

Cuire les huîtres à feu doux pendant quelques minutes. Retirer du feu et réserver le jus de cuisson ainsi que les huîtres. Faire fondre le beurre dans la même casserole et y faire dorer, pendant quelques minutes, les morceaux de pomme de terre, le céleri et les oignons verts. Ajouter la farine et bien mélanger avec les légumes. Laisser cuire 1 minute supplémentaire. Assaisonner de sel et de poivre au goût. Ajouter le bouillon de poulet, le jus de cuisson et le lait et laisser mijoter pendant 15 minutes. Verser la crème doucement et bien mélanger. Ajouter les huîtres et laisser réchauffer le tout. Saupoudrer de paprika avant de servir.

CRÈME D'ÉPINARDS

6 portions

- 2 c. à soupe de beurre
- 2 oignons hachés finement
- 3 pommes de terre coupées en petits morceaux
- 1 sac d'épinards frais, équeutés et hachés
- 5 tasses de bouillon de poulet
- 1 tasse de crème
- Sel et poivre, au goût

Faire fondre le beurre à feu moyen dans une casserole. Ajouter les oignons et les faire dorer légèrement. Ajouter les épinards et les pommes de terre. Faire revenir à feu doux pendant 5 minutes. Assaisonner de sel et de poivre au goût. Ajouter le bouillon de poulet et laisser mijoter pendant 30 minutes à feu moyen. Passer au mélangeur et remettre dans la casserole. Ajouter doucement la crème, en remuant le liquide. Faire réchauffer quelques minutes. Ajuster au besoin l'assaisonnement.

Vous pouvez rehausser le goût de cette crème en la saupoudrant d'un fromage râpé au choix, au moment de servir.

CRÈME DE PATATES DOUCES ET DE POIRES

4 portions

- 1 c. à soupe de beurre
- 1 petit oignon haché
- 1 carotte tranchée
- 3 tasses de patates douces, en dés
- 1 tasse de poires fermes, pelées, en dés
- 3 tasses de bouillon de poulet
- Sel et poivre
- 1 tasse de crème 35 % M.G.
- Sirop d'érable

Dans une casserole, faire revenir l'oignon à feu doux dans le beurre jusqu'à ce qu'il soit translucide. Ajouter la carotte, les patates douces, les poires et le bouillon de poulet. Amener à ébullition et réduire la chaleur. Laisser mijoter jusqu'à ce que les fruits et les légumes soient tendres. Passer au mélangeur. Remettre dans la casserole, saler et poivrer au besoin, et incorporer la crème. Au moment de servir, verser quelques gouttes de sirop d'érable dans chaque bol.

CRÈME DE COURGETTES

4 portions

- 1 c. à soupe de beurre
- 1 petit oignon haché
- 1 gousse d'ail hachée
- 4 tasses de courgettes tranchées
- 1 branche de céleri, en tranches
- Feuilles de céleri, au goût
- 4 tasses de bouillon de poulet
- 1 pincée de sarriette
- 1 pincée de sauge
- 1 pincée de muscade
- Sel
- Poivre
- 1 tasse de crème 35 % M.G.
- Paprika

Dans une casserole, faire revenir l'oignon et l'ail à feu doux dans le beurre jusqu'à ce qu'ils soient tendres. Ajouter les courgettes, le céleri et ses feuilles, le bouillon de poulet, la sarriette, la sauge et la muscade. Amener à ébullition, réduire la chaleur et laisser mijoter jusqu'à ce que les légumes soient cuits. Passer au mélangeur, puis remettre dans la casserole. Saler et poivrer au besoin. Incorporer la crème et mélanger. Au moment de servir, saupoudrer de paprika.

> Pour faire cette recette, vous pouvez utiliser des courgettes vertes ou jaunes, ou un mélange des deux.

VELOUTÉS

POTAGE DU BARRY

8 portions

- 4 tasses d'eau
- 1 gros chou-fleur
- 4 tasses de bouillon
  de légumes
- 1 tasse de lait
- 1/2 tasse de crème

- 2 c. à soupe de fécule
  de maïs
- Sel et poivre, au goût
- 1 c. à soupe de persil frais
  (ou de cerfeuil) pour
  la garniture

Porter l'eau légèrement salée à ébullition. Y plonger le chou-fleur coupé en petits bouquets. Cuire pendant 10 minutes. Réserver le jus de cuisson. Passer le chou-fleur égoutté dans le mélangeur jusqu'à l'obtention d'une belle purée. Conserver 2 tasses de jus de cuisson. Y ajouter le bouillon de poulet. Faire chauffer à feu moyen. Délayer le lait et la fécule de maïs et verser dans le liquide chaud. Faire cuire pendant 15 minutes, en brassant fréquemment. Ajouter le chou-fleur en purée. Poursuivre la cuisson 5 minutes à feu doux. Assaisonner de sel et de poivre au goût. Ajouter la crème et chauffer le tout pendant 10 minutes. Servir avec une garniture de persil ou de cerfeuil.

VELOUTÉS

POTAGE PARMENTIER

8 portions

- 1 lb (500 g) de pommes de terre coupées en dés
- 4 blancs de poireaux coupés en rondelles
- 1 oignon émincé
- 2 c. à soupe de beurre
- 2 c. à soupe de farine
- 6 tasses de bouillon de poulet
- Sel et poivre, au goût
- 1/2 tasse de crème ou de lait
- 2 c. à soupe de persil pour la garniture

Chauffer le beurre et y faire revenir les poireaux et l'oignon pendant 5 minutes. Ajouter les pommes de terre et poursuivre la cuisson 5 minutes. Ajouter la farine et bien mélanger le tout. Cuire quelques minutes supplémentaires, en évitant que le beurre noircisse. Ajouter le bouillon de poulet. Assaisonner au goût, de sel et de poivre. Poursuivre la cuisson 10 minutes ou jusqu'à ce que les morceaux de poireaux soient suffisamment tendres. Passer au mélangeur. Remettre dans la casserole. Ajouter le lait ou la crème. Réchauffer le tout à feu doux. Garnir avec du persil.

POTAGE AUX TOMATES

6 portions

- 2 c. à soupe d'huile d'olive
- 2 gousses d'ail émincées
- 2 oignons hachés
- 5 lb (2,3 kg) de tomates fraîches hachées en gros morceaux

- 2 tasses de bouillon de légumes
- 1 c. à thé de sucre
- Sel et poivre, au goût
- 1 c. à thé d'origan
- 1 tasse de crème ou de lait

Chauffer l'huile et y faire revenir à feu doux l'ail et l'oignon pendant quelques minutes. Ajouter dans la casserole les morceaux de tomates et le sucre. Bien mélanger et faire chauffer quelques minutes. Verser le bouillon de légumes. Porter à ébullition. Assaisonner avec le sel, le poivre et l'origan. Baisser le feu et laisser mijoter 20 minutes. Passer au mélangeur et remettre la purée dans la casserole. Ajouter la crème ou le lait et réchauffer doucement. Servir immédiatement.

VELOUTÉS

Vous pouvez rehausser le goût de cette soupe en ajoutant 1 c. à soupe de pâte de tomates. Vous pouvez aussi lui donner un petit goût piquant, en ajoutant quelques gouttes de tabasco.

POTAGE SAINT-GERMAIN

8 portions

- 1 lb (500 g) de pois verts congelés
- 3 blancs de poireaux coupés en rondelles
- 1 oignon haché
- 2 carottes coupées en rondelles
- 2 c. à soupe de beurre
- 2 tasses d'eau
- 3 tasses de bouillon de légumes
- 1 feuille de laurier
- Sel et poivre, au goût
- 1/2 tasse de crème ou de lait

Bien laver les pois verts. Faire chauffer le beurre et y faire dorer légèrement l'oignon et les poireaux. Ajouter les pois verts et les carottes. Poursuivre la cuisson pendant quelques minutes. Ajouter l'eau et le bouillon de légumes. Assaisonner au goût, de sel et de poivre, et ajouter la feuille de laurier. Laisser mijoter à feu moyen pendant environ une heure. Retirer la feuille de laurier et passer au mélangeur. Remettre dans la casserole. Ajouter la crème ou le lait jusqu'à consistance désirée, en réchauffant le tout à feu doux. Servir bien chaud.

Ce potage est délicieux avec des croûtons au beurre. On peut ajouter un peu de fromage cheddar sur ces croûtons pour rendre le repas encore plus nourrissant.

POTAGE CRÉCY

8 portions

- 2 c. à soupe de beurre
- 1 oignon haché finement
- 6 carottes coupées
  en rondelles
- 6 tasses de bouillon
  de poulet
- 1/2 feuille de laurier
- Sel et poivre, au goût
- 1 tasse de lait ou de crème
- 1 c. à soupe de basilic
  frais haché

Faire chauffer le beurre et y faire dorer légèrement l'oignon. Ajouter les carottes et poursuivre la cuisson quelques minutes. Verser le bouillon sur les légumes. Assaisonner de sel et de poivre au goût. Ajouter la feuille de laurier. Porter à ébullition et laisser mijoter pendant 20 minutes ou jusqu'à ce que les carottes soient bien cuites. Passer au mélangeur et remettre la purée obtenue dans la casserole. Faire réchauffer doucement, en ajoutant un peu de lait ou de crème au goût. Servir chaud et garnir de basilic.

POTAGE DE BROCOLI

6 portions

- 2 c. à soupe de beurre
- 2 c. à soupe de farine
- 3 oignons hachés finement
- 3 pommes de terre coupées en dés
- 1 gros brocoli coupé en petits bouquets
- 5 tasses de bouillon de poulet
- 1/4 c. à thé de thym
- Sel et poivre, au goût
- 1/2 tasse de lait ou de crème
- 1/2 tasse de fromage gruyère ou emmenthal

Faire chauffer le beurre dans une casserole. Ajouter les oignons et faire dorer légèrement pendant quelques minutes. Ajouter les pommes de terre et poursuivre la cuisson pendant 3 minutes. Y incorporer le brocoli et saupoudrer les légumes de farine, en mélangeant bien. Ajouter le bouillon de poulet. Assaisonner avec le thym, le sel et le poivre. Porter à ébullition. Réduire le feu. Couvrir et laisser mijoter pendant 20 minutes. Passer les légumes au mélangeur et remettre dans la casserole. Ajouter le lait ou la crème et faire doucement réchauffer. Juste avant de servir, ajouter le gruyère ou l'emmenthal et faire fondre dans le potage.

POTAGE D'ASPERGES

5 portions

- 1 botte d'asperges
- 2 pommes de terre précuites et coupées en dés
- 3 tasses d'eau
- 1 tasse de bouillon de poulet
- 1/2 tasse de lait
- 1 c. à soupe de beurre
- Sel de céleri
- Sel et poivre, au goût
- Quelques têtes d'asperges

Amener l'eau légèrement salée à ébullition. Y faire bouillir les asperges pendant 12 minutes. Les passer au mélangeur en y ajoutant les morceaux de pommes de terre cuites et le bouillon de poulet. Remettre dans la casserole. Ajouter le lait, le beurre et assaisonner au goût, de sel de céleri et de poivre. Faire chauffer quelques minutes à feu doux. Servir, en garnissant de têtes d'asperges.

POTAGE AU CRESSON

6 portions

- 2 c. à soupe de beurre
- 2 c. à soupe de farine
- 2 oignons hachés finement
- 3 paquets de cresson haché grossièrement
- 5 tasses de bouillon de poulet
- 1/2 tasse de lait ou de crème
- Sel et poivre, au goût

Faire fondre le beurre dans une casserole. Y faire revenir les oignons pendant quelques minutes, en évitant de les faire dorer. Ajouter le cresson et poursuivre la cuisson pendant 3 minutes. Ajouter la farine et bien mélanger. Cuire 2 minutes supplémentaires. Arroser du bouillon de poulet et porter à ébullition. Assaisonner de sel et de poivre au goût. Baisser le feu et laisser mijoter pendant 15 minutes. Passer le tout au mélangeur. Remettre dans la casserole et ajouter le lait ou la crème. Réchauffer le tout.

POTAGE AUX POIREAUX ET AUX ÉPINARDS

8 portions

- 2 c. à soupe de beurre
- 2 c. à soupe de farine
- 3 tasses de blancs de poireaux coupés en rondelles
- 3 pommes de terre coupées en cubes
- 3 tasses d'eau
- 3 tasses de bouillon de poulet
- 3 tasses d'épinards hachés
- 1 c. à thé de cerfeuil
- Sel et poivre, au goût
- 1/2 tasse de lait

VELOUTÉS

Chauffer le beurre à feu moyen et y faire revenir les poireaux et les pommes de terre pendant quelques minutes. Ajouter les épinards et poursuivre la cuisson pendant 3 minutes. Ajouter la farine et bien mélanger les ingrédients. Cuire 3 minutes supplémentaires. Incorporer lentement l'eau légèrement salée et le bouillon de poulet, en brassant constamment. Assaisonner de sel, de poivre et de cerfeuil. Laisser mijoter 30 minutes à feu doux, en évitant de faire bouillir. Passer au mélangeur et remettre dans la casserole. Réchauffer lentement, en ajoutant un peu de lait au goût pour rendre le potage plus velouté.

Vous pouvez remplacer les épinards par des brocolis. Les saveurs du poireau et du brocoli se marient très bien.

POTAGE AU POULET

- 2 c. à soupe de beurre
- 2 c. à soupe de farine
- 1 oignon émincé
- 6 tasses de bouillon de poulet
- 1 tasse de poulet coupé en petits morceaux
- 1/2 tasse de lait ou de crème
- Sel et poivre, au goût
- 2 c. à soupe de persil frais, haché

Faire revenir les oignons dans le beurre pendant quelques minutes, en évitant de les faire brunir. Ajouter la farine et bien mélanger. Poursuivre la cuisson 2 minutes. Ajouter le bouillon et porter à ébullition. Ajouter les morceaux de poulet. Assaisonner de sel et de poivre au goût. Cuire à feu doux pendant 20 minutes. Passer au mélangeur. Remettre dans la casserole. Ajouter le lait ou la crème et réchauffer le tout avant de servir. Garnir de persil frais haché.

Vous pouvez servir ce potage comme tel sans le passer au mélangeur. Vous pourrez ainsi mieux savourer les morceaux de poulet.

VELOUTÉS

POTAGE AUX LÉGUMES

10 portions

- 5 tasses d'eau
- 3 tasses de bouillon de légumes
- 4 pommes de terre coupées en dés
- 1 tasse de carottes coupées en rondelles
- 1 tasse de rutabaga coupé en petits morceaux
- 1 tasse de brocoli en petits bouquets
- 2 branches de céleri hachées
- Sel et poivre, au goût
- 1/2 tasse de lait
- 2 c. à soupe de persil

Amener à ébullition l'eau légèrement salée et le bouillon de poulet. Y placer tous les légumes. Assaisonner de sel et de poivre au goût. Faire cuire 50 minutes à feu moyen. Passer les légumes et le liquide de cuisson au mélangeur. Remettre dans la casserole. Ajouter le lait et réchauffer doucement. Servir en garnissant de persil.

Pour éviter que votre potage ne soit trop clair, vous n'avez qu'à déposer d'abord les légumes égouttés dans le mélangeur et à y ajouter peu à peu le bouillon de cuisson jusqu'à consistance désirée.

POTAGE AU CÉLERI

5 portions

- 4 tasses de céleri coupé en dés
- 3 pommes de terre coupées en dés
- 2 tasses d'eau

- 2 tasses de bouillon de légumes
- Sel et poivre, au goût
- 1 tasse de lait ou de crème
- 2 c. à soupe de persil

Amener l'eau légèrement salée à ébullition. Y mettre les morceaux de céleri et de pommes de terre. Assaisonner au goût, de sel et de poivre. Laisser mijoter à feu moyen pendant 1 heure ou jusqu'à ce que les légumes soient suffisamment cuits. Passer au mélangeur et remettre dans la casserole. Faire réchauffer à feu doux, en versant du lait ou de la crème jusqu'à consistance désirée. Servir chaud, en garnissant de persil.

Ce potage peut se transformer en une soupe délicieuse. Il suffit de ne pas passer les légumes au mélangeur et de ne pas ajouter de lait.

POTAGE AU CARI

4 portions

- 1 c. à soupe d'huile d'olive
- 1 c. à soupe de beurre
- 2 c. à soupe de farine
- 2 oignons hachés finement
- 1 gousse d'ail émincée
- 3 c. à soupe de chutney
- 4 tasses de bouillon de bœuf
- 3 c. à thé de cari
- 1/2 c. à thé de gingembre moulu
- 1 tasse de crème ou de lait

Faire chauffer l'huile d'olive et le beurre à feu doux et y faire revenir l'oignon et l'ail pendant quelques minutes. Saupoudrer de farine et bien mélanger. Ajouter le chutney et poursuivre la cuisson 2 minutes. Verser le bouillon de bœuf et le réchauffer à feu moyen. Assaisonner de cari et de gingembre. Poursuivre la cuisson à feu doux pendant 5 minutes. Passer au mélangeur et remettre dans la casserole. Ajouter le lait ou la crème, en remuant lentement. Réchauffer à feu doux quelques minutes et servir. Garnir de persil frais.

Dans la plupart des potages et des crèmes, vous pouvez remplacer le lait et la crème par du yogourt nature. C'est aussi bon et c'est meilleur pour la santé diront certains.

POTAGE DE SAUMON ET DE CAROTTES

4 portions

- 4 tasses de bouillon de poisson
- 2 pommes de terre coupées en dés
- 2 carottes coupées en rondelles

- 1 oignon émincé
- 1 boîte de saumon
- Jus de 1 citron
- Sel et poivre, au goût
- 2 c. à soupe de persil frais, haché

Verser le bouillon de poisson dans une casserole. Ajouter tous les légumes. Porter à ébullition. Baisser le feu et assaisonner de sel et de poivre au goût. Laisser mijoter jusqu'à ce que les légumes soient cuits. Ajouter le saumon et le jus de citron et laisser cuire encore 5 minutes. Servir bien chaud, en garnissant de persil frais.

POTAGE AUX AVOCATS

8 portions

- 1 c. à soupe d'huile d'olive
- 1 c. à soupe de beurre
- 2 c. à soupe de farine
- 2 oignons hachés finement
- 3 gousses d'ail émincées
- 4 avocats mûrs, pelés et coupés en gros morceaux
- 8 tomates étuvées (en boîte) et égouttées

- 4 tasses d'eau
- 4 tasses de bouillon de légumes
- Sel et poivre, au goût
- 1/2 tasse de crème
- Persil

Faire chauffer l'huile d'olive et le beurre à feu doux et y faire revenir l'ail et les oignons pendant quelques minutes. Ajouter les tomates coupées en deux et faire chauffer 5 minutes à feu doux. Saupoudrer de farine, en mélangeant bien. Poursuivre la cuisson 2 minutes. Assaisonner au goût, de sel et de poivre. Ajouter l'eau et le bouillon de légumes. Porter à ébullition. Réduire le feu et cuire encore 10 minutes. Passer au mélangeur. Remettre dans la casserole. Réchauffer lentement à feu doux. Pendant ce temps, réduire les avocats en purée. Verser la purée d'avocats dans le mélange chaud et brasser doucement pour bien incorporer les avocats au liquide chaud. Ajouter la crème et poursuivre la cuisson 5 minutes. Servir immédiatement.

Vous pouvez lier la purée d'avocats avec deux jaunes d'œufs pour la rendre plus onctueuse.

VELOUTÉ DE BETTERAVES

4 portions

- 1 c. à soupe de beurre
- 1 petit oignon haché
- 4 tasses de bouillon de poulet
- 3 tasses de betteraves, pelées, en dés
- 2 c. à soupe de vinaigre de vin rouge
- Sel
- Poivre
- Yogourt nature
- Persil frais, finement haché

Dans une casserole, faire revenir l'oignon à feu doux dans le beurre. Ajouter le bouillon de poulet et amener à ébullition. Réduire la chaleur, ajouter les betteraves et le vinaigre. Laisser mijoter jusqu'à ce que les betteraves soient tendres. Passer au mélangeur. Remettre dans la casserole. Saler et poivrer au besoin. Au moment de servir, ajouter dans chaque bol une cuillerée à soupe de yogourt nature et décorer de persil.

Une soupe rose à servir à la Saint-Valentin !

VELOUTÉS

VELOUTÉ VERT

- 1 c. à soupe de beurre
- 1 petit oignon haché
- 1 gousse d'ail hachée
- 4 tasses de bouillon de poulet
- 1 paquet d'épinards frais, lavés
- 1 1/2 tasse de brocoli (tiges et fleurettes) haché
- 1/2 tasse de courgettes, en dés
- 1 tasse de céleri, en dés
- 1 tasse de persil frais, haché
- Sel et poivre
- Crème 35 % M.G.

Dans une casserole, faire revenir l'oignon et l'ail à feu doux dans le beurre. Ajouter le bouillon de poulet et porter à ébullition. Réduire la chaleur, ajouter les épinards, le brocoli, les courgettes, le céleri, et le persil. Laisser mijoter jusqu'à ce que les légumes soient tendres. Passer au mélangeur, puis remettre dans la casserole. Saler et poivrer au besoin. Au moment de servir, verser dans chaque bol un filet de crème.

N'hésitez pas à intégrer à cette soupe tous les légumes verts que vous trouverez dans votre frigo.

VELOUTÉS

VELOUTÉ DE POIVRONS

4 portions

- 2 c. à soupe de beurre
- 1 gousse d'ail finement hachée
- 6 tasses de poivrons rouges, jaunes et oranges, en dés
- Zeste d'une orange
- Jus de deux oranges
- Sel
- Poivre
- Persil frais, finement haché, au goût

Dans une casserole, faire revenir l'ail et les poivrons à feu doux dans le beurre jusqu'à ce qu'ils soient très tendres. Ajouter le zeste d'orange et le jus d'orange. Passer au mélangeur. Remettre dans la casserole. Saler et poivrer au besoin. Au moment de servir, décorer de persil frais.

Ce velouté coloré peut aussi se manger froid.

VELOUTÉ DE COURGE MUSQUÉE

4 portions

- 1 c. à soupe de beurre
- 1 petit oignon haché
- 3 tasses de courge musquée, en dés
- 1 tasse de patates douces, en dés
- 4 tasses de bouillon de poulet
- 1 pincée de muscade
- Sel
- Poivre
- Paprika, au goût

Dans une casserole, faire revenir l'oignon à feu doux dans le beurre. Ajouter le bouillon de poulet et amener à ébullition. Ajouter la courge, les pommes de terre et la muscade. Laisser mijoter jusqu'à ce que les légumes soient tendres. Passer au mélangeur. Remettre dans la casserole. Saler et poivrer au besoin. Au moment de servir, saupoudrer le velouté d'un peu de paprika.

VELOUTÉS

VELOUTÉ À LA CITROUILLE

4 portions

- 1 c. à soupe de beurre
- 1 petit oignon, en dés
- 3 tasses de citrouille, en dés
- 1 tasse de carottes tranchées
- 1 branche de céleri,
  en tranche

- 4 tasses de bouillon
  de poulet
- 1 pincée de muscade
- Sel
- Poivre
- Crème 35 % M.G.

Dans une casserole, faire revenir l'oignon à feu doux dans le beurre. Ajouter la citrouille, les carottes, le céleri, le bouillon de poulet et la muscade. Amener à ébullition, réduire la chaleur et laisser mijoter jusqu'à ce que la citrouille soit tendre. Passer au mélangeur, puis remettre dans la casserole. Saler et poivrer au besoin. Au moment de servir, verser un filet de crème dans chaque bol.

Pour impressionner vos invités, servez cette soupe dans une citrouille évidée.

VELOUTÉ AUX CAROTTES

4 portions

- 1 c. à soupe de beurre
- 1 petit oignon, en dés
- 4 tasses de carottes, en rondelles
- 4 tasses de bouillon de poulet
- 3 clous de girofle
- Sel
- Poivre
- Croûtons

Dans une casserole, faire revenir l'oignon à feu doux dans le beurre jusqu'à ce qu'il soit translucide. Ajouter les carottes, le bouillon de poulet et les clous de girofle. Amener à ébullition, réduire la chaleur et laisser mijoter jusqu'à ce que les légumes soient tendres. Passer le tout au mélangeur. Remettre dans la casserole. Saler et poivrer au besoin. Au moment de servir, parsemer le velouté de quelques croûtons.

Avec sa belle couleur orangée, ce velouté mettra une note colorée sur votre table !

VELOUTÉS

VELOUTÉ DE CAROTTES AU GINGEMBRE

4 portions

- 1 c. à soupe de beurre
- 1 petit oignon, en dés
- 1 gousse d'ail finement hachée
- 1 branche de céleri, en tranches
- Feuilles de céleri, au goût
- 1 c. à table de gingembre frais, pelé et haché
- 3 tasses de carottes tranchées
- 4 tasses de bouillon de poulet
- Sel et poivre
- Crème 35 % M.G.
- Persil frais, haché

Dans une casserole, faire revenir l'oignon et l'ail à feu doux dans le beurre. Ajouter le céleri et ses feuilles, le gingembre, les carottes et le bouillon de poulet. Amener à ébullition, réduire la chaleur et laisser mijoter jusqu'à ce que les légumes soient tendres. Passer au mélangeur, puis remettre dans la casserole. Saler et poivrer au besoin. Au moment de servir, verser dans chaque bol un filet de crème et décorer de persil.

VELOUTÉ AUX POMMES DE TERRE

4 portions

- 1 c. à soupe de beurre
- 1 petit oignon finement haché
- 3 tasse de pommes de terre, en dés
- 4 tasses de bouillon de poulet
- 1 pincée de persil séché
- Sel
- Poivre
- Piment de Cayenne

Dans une casserole, faire revenir l'oignon à feu doux dans le beurre jusqu'à ce qu'il soit tendre. Ajouter les pommes de terre, le bouillon de poulet et le persil, amener à ébullition et laisser mijoter jusqu'à ce que les légumes soient cuits. Passer au mélangeur. Saler et poivrer au besoin. Au moment de servir, saupoudrer de piment de Cayenne.

Un velouté délicieux et économique !

Vous pouvez garnir d'une ou deux crevettes pour ajouter de la couleur !

VELOUTÉS

VELOUTÉ DE PATATES DOUCES

4 portions

- 1 c. à soupe de beurre
- 1 petit oignon haché
- 4 tasses de patates douces, en dés
- 1 pincée de cannelle
- 1 pincée de muscade

- 1 feuille de laurier
- 4 tasses de bouillon de poulet
- Sel
- Poivre
- Sirop d'érable

Dans une casserole, faire revenir l'oignon à feu doux dans le beurre. Ajouter les patates douces, la cannelle, la muscade, le laurier et le bouillon de poulet. Amener à ébullition, réduire la chaleur et laisser mijoter jusqu'à ce que les légumes soient tendres. Ôter la feuille de laurier. Passer au mélangeur. Remettre dans la casserole. Saler et poivrer au besoin. Au moment de servir, verser un filet de sirop d'érable dans chaque bol.

VELOUTÉS

VELOUTÉ DE LÉGUMES

4 portions

- 1 c. à soupe de beurre
- 1 petit oignon, en dés
- 1 gousse d'ail
  finement hachée
- 1 pomme de terre, en dés
- 3 branches de céleri,
  en tranches
- Feuilles de céleri, au goût
- 3 carottes tranchées

- 1/2 tasse de navet, en dés
- 1/2 tasse de persil frais,
  finement haché
- 1 feuille de laurier
- 4 tasses de bouillon
  de poulet
- Sel et poivre
- Huile d'olive

Dans une casserole, faire revenir l'oignon et l'ail à feu doux dans le beurre. Ajouter la pomme de terre, le céleri et ses feuilles, les carottes, le navet, le persil, le laurier et le bouillon de poulet. Amener à ébullition, réduire la chaleur et laisser mijoter jusqu'à ce que les légumes soient tendres. Passer au mélangeur. Remettre dans la casserole. Saler et poivrer au besoin. Au moment de servir, verser un filet d'huile d'olive dans chaque bol.

Voici une façon simple d'utiliser les restants qui encombrent votre frigo.

VELOUTÉ AUX DEUX POMMES

4 portions

- 1 c. à soupe de beurre
- 1 petit oignon, en dés
- 1 tasse de pommes vertes, en dés
- 3 tasses de pommes de terre, en dés
- 1 carotte, en dés
- 1 tasse de jus de pomme
- 3 tasses de bouillon de poulet
- 1 pincée de thym
- 1 feuille de laurier
- Sel et poivre
- Crème sûre
- Paprika

Dans une casserole, faire revenir l'oignon à feu doux dans le beurre. Ajouter les pommes vertes, les pommes de terre, la carotte, le jus de pomme, le bouillon de poulet, le thym et le laurier. Amener à ébullition, réduire la chaleur et laisser mijoter jusqu'à ce que les fruits et les légumes soient tendres. Passer au mélangeur, puis remettre dans la casserole. Saler et poivrer au besoin. Au moment de servir, napper chaque portion d'une cuillerée à soupe de crème sûre et saupoudrer de paprika.

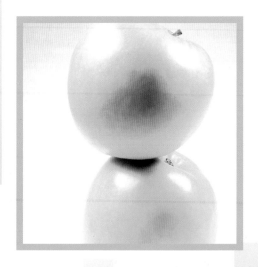

VELOUTÉS

124

VELOUTÉ DE PETITS POIS

4 portions

- 1 c. à soupe de beurre
- 1 petit oignon finement haché
- 4 tasses de bouillon de poulet
- 4 tasses de petits pois congelés
- 1/4 de tasse de persil frais, finement haché
- Sel
- Poivre
- Crème 35 % M.G.

Dans une casserole, faire revenir l'oignon à feu doux dans le beurre jusqu'à ce qu'il soit translucide. Ajouter le bouillon de poulet, amener à ébullition et réduire la chaleur. Ajouter les petits pois et le persil, et laisser mijoter quelques minutes. Passer au mélangeur, puis remettre dans la casserole. Saler et poivrer au besoin. Au moment de servir, verser un filet de crème dans chaque bol.

SOUPES
INTERNATIONALES

MINESTRONE (ITALIE)

6 portions

- 1 c. à soupe d'huile d'olive
- 1 c. à soupe de beurre
- 1 oignon haché
- 2 gousses d'ail émincées
- 2 branches de céleri coupées en petits morceaux
- 3 carottes coupées en rondelles
- 1/2 tasse de haricots verts coupés en deux
- 1 boîte de tomates étuvées et non égouttées
- 6 tasses de bouillon de légumes
- 1/2 tasse de macaronis ou de coquillettes
- 1/4 c. à thé de thym
- 1/4 c. à thé d'origan
- Sel et poivre, au goût
- Parmesan frais

Faire revenir l'oignon et l'ail dans le beurre chaud et l'huile d'olive. Ajouter le céleri, les carottes et les haricots verts. Bien mélanger et faire cuire quelques minutes. Ajouter les tomates étuvées avec leur jus et le bouillon de légumes. Porter à ébullition. Ajouter les pâtes alimentaires. Assaisonner avec le thym, l'origan, le sel et le poivre. Couvrir et laisser mijoter pendant 30 minutes ou jusqu'à ce que les légumes soient cuits. Servir en saupoudrant de fromage parmesan.

Vous pouvez remplacer le beurre et l'huile par de petits morceaux de bacon. Vous les enlevez dès qu'ils sont cuits et vous ne conservez que 1 c. à soupe de gras. Vous rajoutez le bacon à la fin de la cuisson de la soupe.

BORTSCH (RUSSIE)

6 portions

- 6 betteraves coupées en morceaux
- 2 lb (1 kg) de cubes de bœuf
- 1 oignon haché
- 1 gousse d'ail émincée
- 3 carottes coupées en rondelles
- 1 lb (500 g) de chou haché
- 4 pommes de terre coupées en cubes
- 1 boîte de tomates étuvées et égouttées, coupées en gros morceaux
- 2 tasses d'eau
- 2 tasses de bouillon de bœuf
- 1 c. à thé de sucre
- Sel et poivre, au goût
- Crème sure

Verser l'eau légèrement salée et le bouillon de bœuf dans une grande casserole. Y ajouter tous les légumes sauf les pommes de terre. Ajouter le sucre. Porter à ébullition. Ajouter les cubes de bœuf coupés en petits morceaux. Assaisonner au goût, de sel et de poivre. Baisser le feu et laisser mijoter à feu doux pendant 2 heures. Ajouter les pommes de terre à 10 minutes de la fin de la cuisson. Servir chaud, en mettant 1 c. à thé de crème sûre dans chaque bol.

> Vous pouvez laisser fermenter pendant quelques heures vos betteraves dans de l'eau et un peu de vinaigre avant de préparer votre bortsch. Il sera encore meilleur.

CORN CHOWDER (ÉTATS-UNIS)

8 portions

- 2 c. à soupe de beurre
- 2 c. à soupe de farine
- 1 oignon haché
- 2 poireaux émincés
- 2 branches de céleri hachées finement
- 4 tasses de bouillon de poulet

- 4 pommes de terre coupées en dés
- 1 boîte de grains de maïs égouttés
- 4 tasses de lait
- Sel et poivre, au goût
- 1/4 c. à thé de sarriette
- Persil frais, haché

Faire chauffer le beurre à feu doux. Y faire revenir l'oignon, le céleri et les poireaux. Saupoudrer de farine et faire cuire quelques minutes supplémentaires. Ajouter le bouillon et le lait. Porter à ébullition. Baisser le feu et ajouter les pommes de terre et le maïs. Assaisonner avec la sarriette, le sel et le poivre. Laisser mijoter pendant 20 minutes. Servir, en garnissant de persil frais.

Vous pouvez ajouter 1 tasse de morceaux de poulet cuit à cette crème qui n'en sera que plus nourrissante.

SOUPE AIGRE PIQUANTE (CHINE)

6 portions

- 2 c. à soupe d'huile végétale
- 3 oignons verts hachés
- 2 gousses d'ail émincées
- 2 c. à soupe de gingembre
- 1/2 tasse de pousses de bambou hachées
- 6 tasses de bouillon de poulet
- 2 c. à soupe de sauce soja
- 10 champignons chinois déshydratés
- 1 œuf
- 1 c. à thé de piments forts en flocons
- 1 tasse de tofu coupé en dés
- 2 c. à thé de vinaigre de riz
- 2 c. à thé de fécule de maïs
- Un peu d'eau
- 1/2 c. à thé d'huile de sésame

Laisser tremper les champignons dans de l'eau tiède pendant 30 minutes. Faire chauffer l'huile et y faire revenir l'ail, la moitié des oignons verts et le gingembre. Ajouter les pousses de bambou et poursuivre la cuisson 3 minutes. Ajouter le bouillon de poulet, le vinaigre, la sauce soja et les flocons de piments forts. Incorporer le tofu et les champignons hachés. Porter à ébullition. Baisser le feu et laisser mijoter 5 minutes. Épaissir légèrement avec la fécule de maïs déjà mélangée avec un peu d'eau. Terminer la cuisson en jetant 1 œuf dans le bouillon. Verser quelques gouttes d'huile de sésame et servir en garnissant du reste des oignons verts.

> Vous pouvez épicer cette soupe encore davantage avec de la sauce Worcestershire, de la sauce tamari ou de la sauce chili.

SOUPE AUX NOUILLES (CHINE)

5 portions

- 1 c. à soupe d'huile d'arachide
- 1 c. à soupe de beurre
- 2 gousses d'ail émincées
- 2 carottes coupées en petits morceaux
- 2 branches de céleri émincées
- 1/2 tasse de bœuf cuit, émincé
- 3 tasses de bouillon de bœuf
- 2 c. à thé de fécule de maïs
- Un peu d'eau
- 1 c. à thé de gingembre râpé
- 3 c. à soupe de sauce soja
- 2 c. à thé de vinaigre de riz
- 1 lb (500 g) de nouilles chinoises
- Graines de sésame, au goût
- Sel et poivre, au goût

Faire revenir l'ail, les carottes et le céleri dans l'huile et le beurre pendant quelques minutes. Ajouter le bouillon de bœuf et les morceaux de bœuf cuit. Porter à ébullition. Baisser le feu et assaisonner au goût de sel et de poivre. Ajouter la sauce soja, le vinaigre de riz, la fécule de maïs déjà diluée dans un peu d'eau et le gingembre. Poursuivre la cuisson à feu doux pendant 3 minutes. Ajouter les nouilles et bien mélanger. Poursuivre la cuisson jusqu'à ce que les nouilles soient cuites. Servir, en saupoudrant de graines de sésame.

STRACCIATELLA (ITALIE)

5 portions

- 6 tasses de bouillon de poulet
- 4 œufs
- 1/2 tasse de fromage parmesan râpé

- Persil frais, haché
- Sel et poivre, au goût
- 1/4 c. à thé de muscade

Porter le bouillon de poulet à ébullition. Ajouter le poivre, la muscade et un peu de sel (si votre bouillon de poulet de base n'est pas trop salé). Pendant ce temps battre les œufs avec le fromage parmesan et le persil. Verser cette préparation dans le bouillon encore en ébullition. Baisser le feu et laisser mijoter quelques minutes, en fouettant constamment. Servir, en garnissant d'un peu de parmesan.

Vous pouvez ajouter 1/2 tasse d'épinards frais hachés à cette soupe quelques minutes avant la fin de la cuisson.

SOUPE ÉPICÉE (MEXIQUE)
6 portions

- 1 c. à soupe de beurre
- 1 c. à soupe d'huile végétale
- 2 oignons hachés finement
- 2 gousses d'ail émincées
- 1 boîte de macédoine de légumes égouttée
- 2 tomates pelées et coupées en morceaux

- 6 tasses de bouillon de poulet
- 1 piment fort haché
- 1 c. à thé de coriandre
- Sel et poivre de Cayenne, au goût

Faire revenir l'ail, les oignons et le piment fort haché dans l'huile et le beurre à feu doux. Ajouter le bouillon de poulet. Porter à ébullition. Ajouter la macédoine de légumes et les morceaux de tomates. Baisser le feu et assaisonner de sel, de poivre de Cayenne et de coriandre. Laisser mijoter pendant 10 minutes à feu doux.

Vous pouvez servir cette soupe mexicaine avec des tortillas garnies de fromage à la crème.

SOUPE À LA BIÈRE (ALLEMAGNE)

5 portions

- 6 tasses de bière légère et blonde
- 3 c. à soupe de sucre
- 4 jaunes d'œufs
- 5 c. à soupe de crème sure
- Un peu de cannelle
- Un peu de muscade
- Sel et poivre, au goût

Verser la bière et le sucre dans une grande casserole. Porter à ébullition, en brassant le mélange. Pendant ce temps, mélanger les jaunes d'œufs et la crème sure. Verser dans la casserole et réchauffer à feu moyen, en fouettant constamment. Ajouter la cannelle et la muscade. Assaisonner de sel et de poivre au goût. Laisser mijoter pendant 5 minutes où jusqu'à ce que la soupe épaississe suffisamment.

Les Polonais font une autre version de cette soupe à la bière, en ajoutant un peu de clou de girofle. Ils garnissent aussi le fond de chaque bol de soupe d'un gros cube de fromage blanc, avant d'y verser la soupe très chaude.

SOUPE À L'AIL (PORTUGAL)

4 portions

- 3 c. à soupe d'huile d'olive
- 6 gousses d'ail émincées
- 4 tasses de mie de pain émiettée
- 1 c. à soupe de paprika
- 4 tasses de bouillon de poulet
- 2 œufs battus
- Sel et poivre, au goût

Faire revenir à feu doux l'ail dans l'huile d'olive. Ajouter la mie de pain et poursuivre la cuisson pendant quelques minutes. Assaisonner de paprika, de sel et de poivre au goût. Verser le bouillon de poulet dans la casserole et porter à ébullition. Baisser le feu et laisser mijoter pendant 20 minutes. Ajouter les œufs battus. Bien mélanger et laisser cuire encore 5 minutes à feu doux. Servir bien chaud.

SOUPE À L'AVOCAT (ÉTATS-UNIS)
6 portions

- 4 avocats coupés en gros morceaux et réduits en purée
- 6 tasses de bouillon de poulet
- Sel et poivre, au goût
- 1/2 tasse de yogourt nature

Mettre les morceaux d'avocats réduits en purée dans une casserole. Verser doucement le bouillon de poulet et porter lentement à ébullition. Baisser le feu et incorporer le yogourt. Assaisonner au goût, de sel et de poivre. Servir bien chaud.

SOUPES
FROIDES

VICHYSSOISE

5 portions

- 2 c. à soupe de beurre
- 5 poireaux émincés
- 1 oignon haché
- 5 pommes de terre coupées en dés
- 5 tasses de bouillon de poulet
- 1 feuille de laurier
- 1 tasse de lait
- Sel et poivre, au goût
- Ciboulette

Chauffer le beurre et faire revenir l'oignon et les poireaux à feu doux. Ajouter les pommes de terre et bien mélanger. Poursuivre la cuisson pendant 5 minutes. Verser le bouillon de poulet et porter à ébullition. Assaisonner de sel et de poivre au goût. Ajouter la feuille de laurier. Laisser mijoter jusqu'à ce que les légumes soient bien cuits. Passer au tamis et ne conserver que le liquide. Remettre dans la casserole. Ajouter le lait et porter à ébullition en brassant constamment. Retirer du feu et laisser refroidir. Mettre au frigo au moins 2 heures. Garnir de ciboulette au moment de servir.

Vous pouvez remplacer le bouillon de poulet par du consommé de bœuf et le lait par de la crème pour faire une variante intéressante.

GASPACHO
6 portions

- 3 tasses de tomates pelées, épépinées et hachées
- 2 poivrons verts coupés en petits morceaux
- 1 oignon haché
- 2 gousses d'ail émincées
- 2 branches de céleri coupées en dés
- 1 concombre émincé
- 1 tasse de bouillon de légumes
- 1 tasse de jus de tomate
- 1/2 tasse de jus de citron
- 2 c. à soupe d'huile d'olive
- 1 c. à thé de moutarde sèche
- 2 c. à soupe de ciboulette hachée
- 2 c. à soupe de persil frais, haché
- Sel et poivre, au goût

Mélanger les tomates, l'ail, l'oignon, les poivrons, le concombre et le céleri dans le robot culinaire. Verser la purée dans un grand bol. Ajouter la ciboulette et le persil hachés. Assaisonner au goût, de sel et de poivre. Mélanger le tout, en ajoutant lentement l'huile d'olive. Ajouter le bouillon de légumes froid et le jus de tomate. Ajouter la moutarde sèche. Verser le jus de citron et continuer à bien mélanger. Laisser refroidir au réfrigérateur pendant au moins 8 heures. Garnir de ciboulette et servir bien froid.

> Pour conserver cette soupe bien froide, vous pouvez placer les bols au congélateur 15 minutes avant de servir. Vous pouvez aussi ajouter un glaçon dans chaque bol.

SOUPE DE ZUCCHINIS

4 portions

- 3 zucchinis coupés en morceaux
- 1 tasse de bouillon de légumes
- 1 tasse de yogourt
- 1/2 tasse d'oignons hachés finement
- Sel et poivre, au goût
- 1 c. à soupe de persil

Mélanger tous les ingrédients dans un grand bol. Assaisonner de sel et de poivre au goût. Saupoudrer de persil. Passer au mélangeur électrique. Réfrigérer la purée obtenue pendant quelques heures. Servir bien froid.

Le persil peut être remplacé par la ciboulette.

SOUPE AU PERSIL

4 portions

- 2 tasses de persil haché
- 4 tasses de bouillon de poulet
- 1 tasse de yogourt
- Sel et poivre, au goût

Porter le bouillon de poulet à ébullition. Ajouter le persil haché. Assaisonner au goût, de sel et de poivre. Laisser mijoter à feu doux pendant 30 minutes. Ajouter le yogourt. Bien mélanger et continuer à cuire jusqu'à ce que la soupe épaississe. Réfrigérer pendant quelques heures avant de servir.

Vous pouvez rendre votre soupe plus onctueuse, en ajoutant à la préparation, en même temps que le yogourt, deux jaunes d'œufs battus.

CRÈME AUX TOMATES

4 portions

SOUPES FROIDES

- 10 tomates pelées et coupées en petits morceaux
- 1 oignon haché très finement
- 2 gousses d'ail émincées
- Sel et poivre, au goût
- 1 c. à soupe de basilic
- 1 c. à soupe d'origan
- 1 c. à soupe de sucre
- 1/2 c. à thé de piments forts en flocons
- 1/2 tasse de yogourt ou de crème sure

Passer les tomates, l'ail et l'oignon au mélangeur électrique. Verser la purée dans un grand bol. Ajouter le basilic, l'origan et les flocons de piments forts. Bien mélanger. Saler et poivrer au goût. Bien incorporer le sucre. Réfrigérer pendant quelques heures. Servir dans des bols froids, en garnissant chacun de 1 c. à thé de yogourt.

SOUPE GLACÉE AUX CONCOMBRES

6 portions

- 6 tasses de bouillon de légumes
- 3 concombres pelés et coupés en dés
- 1 c. à soupe d'huile d'olive
- 2 gousses d'ail émincées
- 1 tasse de crème ou de yogourt

Porter le bouillon de légumes à ébullition. Ajouter les morceaux de concombres. Baisser le feu et laisser mijoter pendant 15 minutes. Ajouter la crème ou le yogourt et l'ail cru. Bien mélanger et faire cuire 10 minutes à feu doux. Retirer du feu. Réfrigérer pendant quelques heures. Servir bien froid, en garnissant de quelques morceaux de concombres crus.

Vous pouvez ajouter 1/2 oignon cuit dans du beurre à cette préparation au moment de verser la crème ou le yogourt. C'est délicieux.

SOUPES AUX FRUITS DE MER

SOUPE DE POISSON

8 portions

- 7 tasses de bouillon de poisson
- 1 lb (500 g) de poisson à chair blanche (morue ou aiglefin)
- 1 tasse de crevettes cuites
- 2 tasses de pommes de terre coupées en dés
- 1 oignon haché
- 2 poireaux émincés
- 1 carotte râpée
- 1 tasse de lait
- 1 c. à thé de thym séché
- Sel et poivre, au goût

Porter le bouillon de poisson à ébullition. Y déposer tous les légumes. Baisser le feu et laisser mijoter 20 minutes à feu doux. Ajouter le poisson et les crevettes. Assaisonner au goût, de sel et de poivre. Ajouter le thym et le lait. Poursuivre la cuisson pendant 10 minutes à feu doux. Servir immédiatement.

Vous pouvez ajouter des huîtres en même temps que le poisson et les crevettes. Ça rendra votre soupe encore plus nourrissante.

CRÈME DE CRABE DES NEIGES

6 portions

- 2 c. à soupe de beurre
- 2 c. à soupe de farine
- 1 lb (500 gr) de crabe des neiges
- 1 oignon haché finement
- 1/4 tasse de sauce tomate
- 5 tasses de bouillon de poisson
- 1 tasse de lait
- 1 jaune d'œuf
- Sel et poivre, au goût

Faire chauffer le beurre à feu doux et y ajouter la farine, en mélangeant bien. Cuire doucement pendant quelques minutes. Ajouter l'oignon et le crabe. Faire revenir pendant 5 minutes. Ajouter le bouillon de poisson. Assaisonner de sel et de poivre au goût. Laisser mijoter pendant 15 minutes, en évitant de faire bouillir. Ajouter la sauce tomate et le lait chaud dans lequel vous avez battu le jaune d'œuf. Faire réchauffer et servir immédiatement.

SOUPE AU SAUMON

6 portions

- 2 c. à soupe d'huile végétale
- 1 c. à soupe de beurre
- 1 tasse d'oignon haché
- 1/2 tasse de céleri coupé en morceaux
- 2 tasses de pommes de terre coupées en dés
- 1 tasse de carottes coupées en rondelles
- 2 tasses de bouillon de poisson
- 1 tasse d'eau
- 1 tasse de lait
- Sel et poivre, au goût
- 1 lb (500 g) de saumon en boîte, égoutté

Faire revenir l'oignon et le céleri hachés dans l'huile et le beurre pendant quelques minutes à feu doux. Ajouter les pommes de terre et les carottes. Verser la tasse d'eau et les 2 tasses de bouillon de poisson sur les légumes. Assaisonner au goût, de poivre et de sel. Porter à ébullition. Baisser le feu, couvrir et laisser mijoter pendant 15 minutes ou jusqu'à ce que les légumes soient bien cuits. Ajouter les morceaux de saumon en boîte, après les avoir émiettés. Ajouter le lait et faire réchauffer à feu doux pendant quelques minutes, en brassant bien le mélange. Servir chaud, en garnissant de persil.

Pour ajouter un peu de piquant, vous pouvez verser quelques gouttes de sauce Worcestershire en même temps que le saumon.

SOUPE AUX HUÎTRES

4 portions

- 2 tasses d'huîtres (en boîte) et leur eau
- 2 c. à soupe de beurre
- 2 c. à soupe de farine
- 1 oignon haché fin
- 3 branches de céleri coupées en morceaux
- 1 feuille de laurier
- 4 tasses de lait
- Sel et poivre, au goût

Faire fondre le beurre à feu doux. Faire revenir l'oignon et le céleri quelques minutes. Saupoudrer de farine et bien mélanger. Laisser cuire pendant 3 minutes supplémentaires. Ajouter les huîtres, leur eau et la feuille de laurier. Laisser mijoter, en mélangeant bien pendant 5 minutes. Verser le lait. Porter à ébullition. Baisser le feu et assaisonner de sel et de poivre au goût. Laisser réchauffer doucement pendant 15 minutes, en évitant de faire bouillir.

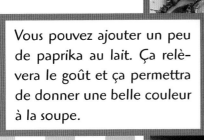

Vous pouvez ajouter un peu de paprika au lait. Ça relèvera le goût et ça permettra de donner une belle couleur à la soupe.

CHAUDRÉE AUX PALOURDES

6 portions

- 3 c. à soupe de beurre
- 2 oignons hachés finement
- 1 gousse d'ail émincée
- 2 tasses de palourdes (en boîte)
- 1 tasse de jus de palourdes
- Sel et poivre, au goût
- 4 tasses d'eau
- 4 pommes de terre coupées en dés
- 2 tasses de lait
- Persil frais

Faire revenir les oignons et l'ail dans le beurre chauffé à feu doux pendant 5 minutes. Ajouter les palourdes et les faire cuire pendant quelques minutes. Verser l'eau et le jus de palourdes dans la casserole. Assaisonner au goût, de sel et de poivre. Porter à ébullition. Baisser le feu et ajouter les pommes de terre. Laisser mijoter pendant 20 minutes. Ajouter le lait et faire réchauffer pendant quelques minutes, en mélangeant bien. Servir chaud, en garnissant de persil frais.

Il existe une version de cette chaudrée de palourdes avec des tomates en boîte non égouttées et un peu de purée de tomates. Il suffit de les ajouter à la place du lait.

SOUPE AUX MOULES

4 portions

- 3 douzaines de moules
- 1 tasse de bouillon de poisson
- 1/2 tasse de vin blanc
- 1 oignon émincé
- 1 poireau haché
- 1 branche de céleri coupée en dés
- 1 c. à soupe de persil
- 1 c. à soupe de beurre
- 1 c. à soupe de farine
- 3 tasses de lait
- Sel et poivre, au goût
- Un peu de muscade

Placer les moules dans une casserole. Ajouter l'oignon et le persil. Ajouter la tasse de bouillon de poisson et le vin blanc. Faire chauffer les moules à couvert jusqu'à ce qu'elles s'ouvrent. Retirer du feu et enlever les moules de leur coquille. Passer le bouillon au tamis pour le filtrer. Faire chauffer le beurre et y faire revenir les morceaux de poireau et de céleri à feu moyen. Saupoudrer avec la farine et bien mélanger. Poursuivre la cuisson quelques minutes. Ajouter le lait et porter à ébullition. Assaisonner de sel et de poivre au goût. Ajouter un peu de muscade et poursuivre la cuisson à feu doux 5 minutes. Verser le bouillon de cuisson dans le lait et chauffer 5 minutes. Ajouter les moules. Servir bien chaud.

SOUPE DE HOMARD

5 portions

- 3 c. à soupe de beurre
- 2 tasses de homard cuit et coupé en morceaux
- 1 oignon émincé
- 2 c. à soupe de farine
- 1 feuille de laurier
- Sel et poivre, au goût
- 4 tasses de bouillon de poisson
- 1 tasse de lait
- 1/2 c. à thé de muscade

Faire chauffer le beurre à feu doux. Y faire revenir l'oignon pendant 5 minutes. Ajouter le homard et bien mélanger. Saupoudrer de farine et poursuivre la cuisson à feu doux pendant 3 minutes. Verser le bouillon de poisson et le lait. Ajouter la feuille de laurier. Assaisonner au goût, de sel et de poivre. Porter à ébullition. Baisser le feu et laisser mijoter pendant 15 minutes. Servir, en garnissant de muscade.

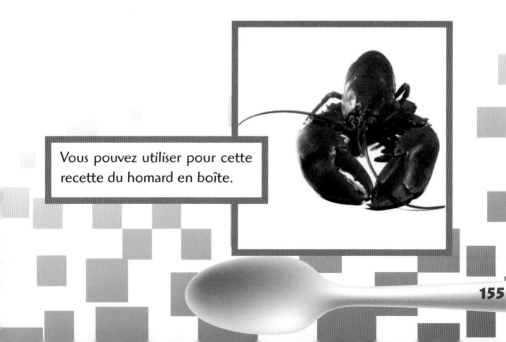

Vous pouvez utiliser pour cette recette du homard en boîte.

SOUPE DE CREVETTES

8 portions

- 2 c. à soupe de beurre
- 2 c. à soupe de farine
- 2 lb (1 kg) de crevettes cuites et décortiquées
- 1 oignon émincé
- 4 tasses de bouillon de poisson
- 2 tasses de lait
- 1/2 c. à thé de basilic ou de thym

Faire revenir l'oignon dans le beurre fondu pendant quelques minutes. Saupoudrer de farine et poursuivre la cuisson à feu doux pendant 3 minutes. Ajouter le bouillon de poisson et le lait. Porter à ébullition. Baisser le feu et ajouter les crevettes. Ajouter le basilic ou le thym. Assaisonner de sel et de poivre au goût. Laisser mijoter quelques minutes et servir bien chaud.

SOUPES AUX FRUITS DE MER

Il faut éviter de trop cuire les crevettes car elles durcissent et perdent leur saveur.

SOUPE DE PÉTONCLES

6 portions

- 2 c. à soupe de beurre
- 2 c. à soupe de farine
- 1 oignon émincé
- 1/2 tasse de carottes coupées en morceaux
- 1/2 tasse de céleri coupé en dés
- 1 tasse de petits pétoncles
- 3 tasses de bouillon de poisson
- 3 tasses de lait
- Sel et poivre
- 1 c. à thé de paprika

Faire revenir les oignons dans le beurre fondu pendant quelques minutes. Ajouter les carottes et le céleri. Poursuivre la cuisson 5 minutes supplémentaires. Ajouter les pétoncles. Saupoudrer de farine et bien mélanger. Cuire pendant 5 minutes à feu doux. Ajouter le bouillon de poisson et le lait et porter à ébullition. Assaisonner au goût de sel et de poivre. Baisser le feu et laisser mijoter pendant 15 minutes. Servir, en garnissant d'un peu de paprika.

Le bouillon de poulet peut remplacer sans problème le bouillon de poisson pour cette recette.

SOUPE FLORENTINE AUX FRUITS DE MER

6 portions

- 2 c. à soupe de beurre
- 2 tasses d'épinards hachés
- 6 tasses de bouillon de poulet
- 1 tasse de petites crevettes cuites
- 1/2 tasse de crabe (en boîte)
- 1 tasse de riz à grain long
- 3 c. à soupe de jus de citron
- Sel et poivre, au goût

Faire revenir les épinards hachés dans le beurre fondu pendant quelques minutes. Ajouter le bouillon de poulet. Porter à ébullition. Ajouter le riz et laisser mijoter pendant 15 minutes. Baisser le feu et ajouter les crevettes et le crabe. Assaisonner au goût. Ajouter le jus de citron. Laisser mijoter pendant 10 minutes supplémentaires. Servir immédiatement.

Vous pouvez remplacer les fruits de mer par du poulet ou encore des morceaux de bœuf cuit. Il serait préférable dans ce dernier cas de remplacer le bouillon de poulet par du bouillon de bœuf ou du consommé.

SOUPES VÉGÉTARIENNES

POTAGE D'HERBES FRAÎCHES
8 portions

- 1 c. à soupe d'huile d'olive
- 2 gousses d'ail émincées
- 1 poireau haché en rondelles
- 1 brocoli coupé en petits bouquets
- 4 pommes de terre coupées en dés

- 6 tasses de bouillon de légumes
- 2 tasses de fines herbes fraîches hachées (persil, basilic, ciboulette, estragon, thym)
- Sel et poivre

Faire chauffer l'huile d'olive et y faire cuire l'ail à feu doux. Ajouter les pommes de terre, le poireau et le brocoli. Bien mélanger et faire cuire 5 minutes. Ajouter le bouillon de légumes et les herbes. Assaisonner de sel et de poivre au goût. Laisser mijoter à feu doux pendant 30 minutes. Pour obtenir un potage onctueux, passer au mélangeur. Remettre le potage dans la casserole. Faire réchauffer quelques minutes avant de servir. Garnir de persil.

Pour transformer cette soupe en repas complet, vous pouvez la servir avec des croûtons garnis de fromage fort passés sous le gril.

SOUPE AUX LÉGUMES

10 portions

- 8 tasses de bouillon de légumes
- 2 oignons hachés
- 2 gousses d'ail émincées
- 2 tasses de carottes coupées en rondelles
- 1 tasse de panais coupés en dés
- 1 tasse de céleri haché
- 1 boîte de tomates étuvées et égouttées, coupées en quartiers

- 1 tasse de fèves vertes coupées en tronçons
- 1/2 c. à thé de sarriette
- 1 feuille de laurier
- 1/2 c. à thé de marjolaine (ou de cerfeuil)
- 1 c. à thé de sucre
- Sel et poivre, au goût

Faire chauffer le bouillon de légumes. Ajouter tous les légumes (sauf les tomates étuvées). Ajouter la feuille de laurier. Porter à ébullition. Couvrir. Poursuivre la cuisson à feu moyen pendant 2 heures. Ajouter les tomates étuvées. Assaisonner de sel et de poivre au goût. Ajouter la sarriette, la marjolaine et le sucre. Poursuivre la cuisson à feu doux pendant 1 heure. Servir bien chaud avec des croûtons.

Pour rendre votre soupe plus consistante, vous pouvez ajouter, 20 minutes avant la fin de la cuisson, du riz à grain long, de l'orge ou encore de petites pâtes comme des macaronis ou des coquillettes.

SOUPE AUX CHOUX DE BRUXELLES

10 portions

- 8 tasses de bouillon de légumes
- 2 tasses de choux de Bruxelles coupés en deux
- 1 tasse d'oignons hachés finement
- 1 tasse de carottes coupées en dés
- 1/2 tasse de céleri
- 1 c. à soupe de persil
- Sel et poivre, au goût

Verser le bouillon de légumes dans une grande casserole. Porter à ébullition. Ajouter tous les légumes. Assaisonner au goût, de sel et de poivre. Baisser le feu et laisser mijoter environ 30 minutes ou jusqu'à ce que les légumes soient bien cuits. Servir chaud en garnissant de persil.

SOUPE AUX PETITS POIS

8 portions

- 1 c. à soupe d'huile d'olive
- 1 c. à soupe de beurre
- 2 c. à soupe de farine
- 1 tasse d'oignons verts hachés fin
- 1/2 tasse de céleri haché
- 1/2 tasse de carottes coupées en dés
- 6 tasses de bouillon de légumes
- 3 tasses de pois verts congelés
- Sel et poivre, au goût
- 2 c. à soupe de ciboulette
- 1 tasse de lait

Chauffer l'huile d'olive et le beurre. Faire revenir les oignons verts à feu doux. Ajouter les carottes et le céleri. Cuire 5 minutes. Saupoudrer de farine. Bien mélanger et poursuivre la cuisson 3 minutes. Ajouter le bouillon de légumes. Amener à ébullition. Baisser le feu. Ajouter les 3 tasses de pois verts congelés. Assaisonner au goût, de sel et de poivre. Laisser mijoter 15 minutes. Ajouter le lait et poursuivre la cuisson 10 minutes.

Vous pouvez ajouter du jambon cuit à cette soupe qui perd alors son étiquette de végétarienne.

SOUPE AUX LÉGUMINEUSES

8 portions

- 8 tasses d'eau
- 1 tasse de fèves blanches
- 1 tasse de fèves de Lima
- 1 tasse de fèves rouges
- 2 c. à soupe d'huile d'olive
- 2 oignons hachés finement
- 8 tasses de bouillon de légumes
- 1/2 tasse de carottes coupées en rondelles
- 1/2 tasse de céleri haché
- 4 tomates (en boîte) étuvées et coupées en quartiers
- Sel et poivre, au goût
- 1 feuille de laurier
- Persil

Faire tremper les fèves dans un bol pendant 6 heures. Chauffer l'huile à feu doux et y faire revenir les oignons pendant quelques minutes. Ajouter le bouillon de légumes dans la casserole, les carottes et le céleri. Porter à ébullition. Baisser le feu. Ajouter les 3 tasses de fèves. Assaisonner de sel et de poivre au goût. Ajouter la feuille de laurier. Couvrir et poursuivre la cuisson à feu doux pendant 1 heure. Ajouter les tomates étuvées et poursuivre la cuisson à découvert pendant 15 minutes. Servir avec du persil en garniture.

SOUPES VÉGÉTARIENNES

SOUPE AUX LENTILLES

6 portions

- 1 tasse de lentilles brunes ou rouges
- 3 tasses d'eau
- 3 tasses de bouillon de légumes
- 1 oignon haché finement
- 2 branches de céleri coupées en petits morceaux
- 2 gousses d'ail émincées
- 1/2 tasse de carottes coupées en rondelles
- 1 c. à soupe de persil
- 1 c. à soupe de basilic
- 1 feuille de laurier
- Sel et poivre, au goût

Bien rincer les lentilles et les égoutter. Verser l'eau et le bouillon de légumes dans une casserole. Ajouter les lentilles, les légumes et la feuille de laurier et porter à ébullition. Assaisonner au goût, de sel et de poivre. Poursuivre la cuisson à feu doux pendant 30 minutes. Ajouter le persil et le basilic et continuer la cuisson pendant 15 minutes. Servir.

Pour mettre un peu de piquant, vous pouvez ajouter en fin de cuisson un peu de cumin ou de piments forts en flocons.

SOUPE AU CHOU-FLEUR

6 portions

- 6 tasses de bouillon de légumes
- 1 gros chou-fleur coupé en bouquets
- 1 oignon haché finement
- 2 branches de céleri coupées en petits morceaux
- 2 pommes de terre coupées en dés
- 3 branches de céleri coupées en dés
- 1 feuille de laurier
- Sel et poivre, au goût
- 3 c. à soupe de persil

Faire chauffer le bouillon de légumes dans une grande casserole à feu moyen. Ajouter tous les légumes et la feuille de laurier. Porter à ébullition. Baisser le feu. Ajouter les assaisonnements au goût. Laisser mijoter à feu doux pendant environ 1 heure ou jusqu'à ce que les légumes soient bien cuits. Ajouter le persil à 10 minutes de la fin de la cuisson.

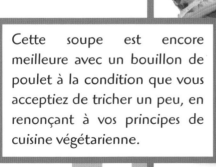

Cette soupe est encore meilleure avec un bouillon de poulet à la condition que vous acceptiez de tricher un peu, en renonçant à vos principes de cuisine végétarienne.

SOUPE AUX GOURGANES

8 portions

- 1 c. à soupe d'huile d'olive
- 1 c. à soupe de beurre
- 4 oignons verts hachés
- 1/2 tasse de céleri haché
- 4 tasses de gourganes
- 4 tasses d'eau
- 4 tasses de bouillon de légumes
- 1/4 tasse de riz
- Sel et poivre

Chauffer l'huile d'olive et le beurre à feu doux. Faire revenir les oignons verts et le céleri quelques minutes. Ajouter l'eau et le bouillon de légumes. Porter à ébullition. Ajouter les gourganes et le riz, et baisser le feu. Assaisonner au goût, de sel et de poivre. Laisser mijoter pendant 2 heures.

Vous pouvez remplacer le riz par de l'orge perlé.

SOUPE DE CONCOMBRES

6 portions

- 6 tasses de bouillon de légumes
- 3 concombres tranchés en rondelles coupées en deux
- 1 poivron coupé en dés
- 1/2 tasse d'oignons verts hachés
- Quelques gouttes de sauce Worcestershire
- 1/2 c. à thé de basilic séché
- 1/2 c. à thé d'origan
- Sel et poivre, au goût

Verser le bouillon de légumes dans une casserole. Ajouter les légumes et porter à ébullition. Assaisonner avec le basilic, l'origan, le sel et le poivre. Ajouter quelques gouttes de sauce Worcestershire. Laisser mijoter 30 minutes ou jusqu'à ce que les légumes soient bien cuits.

La moutarde se marie bien avec le concombre. Vous pouvez en ajouter 1 c. à thé vers la fin de la cuisson.

SOUPE AU CHOU

8 portions

- 1 c. à soupe d'huile d'olive
- 2 c. à soupe de beurre
- 3 oignons hachés finement
- 1/2 tasse de carottes coupées en rondelles
- 6 tasses de chou râpé
- 1/2 tasse de céleri haché
- 6 tasses de bouillon de légumes
- Sel et poivre, au goût
- Persil

Faire chauffer le beurre et l'huile d'olive et y faire revenir l'oignon. Verser dans la casserole le bouillon de légumes. Ajouter les autres légumes et porter à ébullition. Baisser le feu. Assaisonner au goût de sel et de poivre. Laisser mijoter à feu doux pendant une heure ou jusqu'à ce que les légumes soient bien cuits. Servir avec une garniture de persil frais.

Vous pouvez ajouter du lait dans les dernières minutes de la cuisson pour obtenir une soupe plus onctueuse.

SOUPE AUX COURGES

6 portions

- 1 c. à soupe d'huile d'olive
- 1 c. à soupe de beurre
- 3 oignons verts hachés
- 1 tasse d'eau
- 3 tasses de bouillon de légumes
- 6 tasses de courges pelées et coupées en morceaux
- 1 c. à soupe d'aneth séché
- Sel et poivre, au goût

Chauffer l'huile d'olive et le beurre dans une casserole. Faire revenir les oignons verts pendant quelques minutes à feu doux. Verser l'eau et le bouillon de légumes et porter à ébullition. Ajouter les courges et baisser le feu. Assaisonner au goût, de sel et de poivre. Couvrir et laisser mijoter pendant 30 minutes. Passer au mélangeur et remettre dans la casserole. Ajouter l'aneth. Réchauffer à feu doux pendant 10 minutes.

Vous pouvez remplacer l'aneth par du fenouil haché. Vous pouvez aussi ajouter un peu de zeste de citron à la fin de la cuisson juste avant de servir.

SOUPE À LA LAITUE

8 portions

- 1 c. à soupe d'huile d'olive
- 1 c. à soupe de beurre
- 1 oignon coupé en petits morceaux
- 1 grosse laitue coupée en feuilles
- 3 pommes de terre coupées en dés
- 1/2 tasse de céleri haché
- 8 tasses de bouillon de légumes
- 1 c. à soupe de ciboulette ou de marjolaine
- Sel et poivre, au goût

Chauffer l'huile d'olive et le beurre dans une casserole. Y faire revenir les oignons à feu doux. Ajouter les autres légumes et bien mélanger. Poursuivre la cuisson quelques minutes. Verser le bouillon de légumes. Assaisonner de sel et de poivre au goût. Laisser mijoter à feu doux pendant 30 minutes ou jusqu'à ce que les légumes soient bien cuits. Servir en garnissant de ciboulette ou de marjolaine.

Vous pouvez utiliser plusieurs sortes de laitues aux couleurs et aux textures variées.

SOUPE AUX TOMATES

4 portions

- 1 c. à soupe d'huile d'olive
- 3 gousses d'ail émincées
- 2 branches de céleri hachées
- 1 boîte de tomates étuvées, égouttées et coupées en morceaux

- 1 c. à thé de sucre
- 1 c. à soupe de basilic frais, haché
- 3 tasses de bouillon de légumes
- Sel et poivre, au goût

Chauffer l'huile dans une casserole et faire revenir l'ail et le céleri à feu doux. Ajouter les tomates étuvées et le sucre, et bien mélanger. Poursuivre la cuisson pendant 5 minutes. Assaisonner au goût de sel et de poivre. Ajouter le basilic frais. Verser le bouillon de légumes et porter à ébullition. Baisser le feu et laisser mijoter 10 minutes. Servir bien chaud.

> Il faut savoir bien doser le sel, car la base de bouillon de légumes et les tomates en boîte en contiennent déjà.

SOUPES -DESSERTS

SOUPE AUX BANANES

6 portions

- 6 bananes
- 3 c. à soupe de jus de citron
- 3 tasses de jus de pomme
- 2 c. à soupe de sucre brun
- 2 tasses de crème
- 1/2 c. à thé de cannelle

Passer les bananes au mélangeur avec le jus de citron. Mettre la purée dans une casserole. Verser le jus de pomme et porter à ébullition. Ajouter le sucre brun et bien mélanger. Éteindre le feu et ajouter la crème et la cannelle. Mettre au réfrigérateur pour quelques heures. Servir dans des bols froids.

Vous pouvez varier cette soupe en ajoutant à la préparation tous les fruits qui se marient bien avec la banane (bleuets, fraises, framboises).

SOUPE CHAUDE AUX POMMES ET À L'ÉRABLE

4 portions

- 3 tasses de lait
- 2 c. à soupe de sirop d'érable
- 1 c. à soupe de beurre
- 4 pommes tranchées
- 1 pincée de cannelle
- Sucre d'érable râpé

Dans une casserole, mélanger le lait et le sirop d'érable. Faire chauffer à feu doux. Dans une autre casserole, faire revenir les pommes dans le beurre (ne pas laisser ramollir les fruits). Ajouter la cannelle et bien mélanger. Verser le lait dans chaque bol. Ajouter les pommes chaudes. Garnir de sucre d'érable râpé.

Si vous aimez le mélange chaud-froid, ajoutez une boule de crème glacée à cette soupe. Telle quelle, vous pouvez la servir au déjeuner, les froids matins d'hiver.

SOUPE AUX PÊCHES ET AUX ABRICOTS

4 portions

- 1 tasse de jus de pêche
- 2 tasses de jus d'orange
- 2 pêches, en morceaux
- 3 abricots, en morceaux

- 4 c. à soupe de crème fouettée
- Amandes effilées, grillées

Dans un bol, mélanger les jus de fruits. Ajouter les pêches et les abricots. Répartir la soupe dans les bols. Garnir chaque portion d'une cuillerée de crème fouettée et d'amandes grillées.

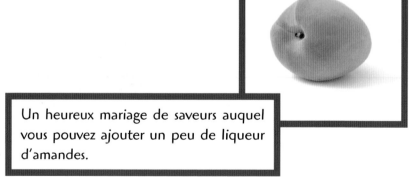

Un heureux mariage de saveurs auquel vous pouvez ajouter un peu de liqueur d'amandes.

SOUPE DE MELONS

4 portions

- 3 tasses de jus d'orange
- 1/4 de tasse de miel liquide
- 20 boules de melon miel
  (taillées à la cuillère
  parisienne)
- 20 boules de cantaloup
  (taillées à la cuillère
  parisienne)
- Menthe fraîche, hachée
- Zeste de lime

Dans un bol, mélanger le jus d'orange et le miel. Ajouter les boules de melon et la menthe. Répartir la soupe dans les bols et décorer de feuilles de menthe et de zeste de lime.

Une soupe très rafraîchissante à laquelle vous pouvez ajouter une larme de Grand Marnier.

SOUPE AUX AGRUMES

4 portions

- 3 tasses de jus d'orange
- 1 tasse de suprêmes d'orange
- 1 tasse de suprêmes de pamplemousse rose
- 1 tasse de suprêmes d'orange sanguine
- Sorbet au citron ou à la lime
- Zeste de citron ou de lime

Pour préparer les suprêmes, enlever d'abord, à l'aide d'un couteau, la pelure des agrumes. Passer ensuite la lame de votre couteau de chaque côté des membranes afin de ne récolter que la chair des fruits. Déposer les suprêmes dans le jus d'orange. Répartir la soupe dans les bols. Au centre de chaque portion, déposer une boule de sorbet au citron ou à la lime et décorer de zeste.

Voilà une soupe qui termine bien un repas de poisson.

SOUPE DE POIRES AUX AMANDES
4 portions

- 2 tasses de crème glacée à la vanille
- 1 tasse de lait
- 1/4 de tasse de liqueur d'amandes

- 3 poires en quartiers
- Amandes effilées, grillées

Mélanger la crème glacée, le lait et la liqueur d'amandes. Verser la préparation dans les bols. Ajouter les poires en les disposant en éventail. Parsemer d'amandes effilées.

Vous pouvez faire cette recette avec des poires fraîches bien mûres ou des poires en conserve, que vous aurez pris soin de bien égoutter.

SOUPES-DESSERTS

SOUPE AUX FRAISES

4 portions

- 2 tasses de jus ou de coulis de fraise
- 1 tasse de sorbet à la fraise
- 2 tasses de fraises tranchées
- 4 c. à soupe de crème fouettée
- Copeaux de chocolat ou chocolat râpé

Mélanger le jus de fraise et le sorbet. Déposer cette préparation dans chaque bol. Ajouter les fraises. Napper chaque portion de crème fouettée. Décorer de copeaux de chocolat ou de chocolat râpé.

Pour réaliser cette soupe avec des framboises, remplacez les ingrédients aux fraises par des ingrédients aux framboises.

SOUPE AUX PETITS FRUITS

4 portions

- 2 tasses de crème glacée à la vanille
- 2 tasses de lait
- 1/2 tasse de bleuets
- 1/2 tasse de framboises
- 1/2 tasse de fraises tranchées
- Feuilles de menthe

Dans un bol, mélanger les petits fruits. Réserver. Dans un autre bol, mélanger la crème glacée et le lait jusqu'à obtenir une texture rappelant une crème. Verser cette crème dans les bols à dessert. Répartir les petits fruits sur le dessus. Décorer de feuilles de menthe. Accompagner de biscottis.

SOUPE DE FRUITS AU MIEL

4 portions

- 3 tasses de jus de canneberge
- 1/4 de tasse d'alcool (Grand Marnier, cognac, rhum, etc.)
- 1/4 de tasse de miel liquide
- 1 pincée de cannelle
- 2 prunes, en quartiers
- 1 pêche, en quartiers
- 1 nectarine, en quartiers
- 8 cerises fraîches, dénoyautées et coupées en deux
- Feuilles de menthe fraîche

Dans un bol, mélanger le jus, l'alcool, le miel et la cannelle. Déposer les fruits dans le liquide. Verser la soupe dans les bols et décorer de feuilles de menthe.

Si vous servez ce dessert à Noël, par exemple, décorez d'une petite boule de crème glacée à la vanille et d'un bâtonnet de cannelle.

SOUPE AUX FRUITS EXOTIQUES

4 portions

- 4 tasses de jus d'orange
- 1/2 tasse d'orange, en morceaux
- 1/2 tasse d'ananas, en morceaux
- 1/2 tasse de papaye, en morceaux
- 8 litchis coupés en deux
- 1 kiwi, en morceaux
- 1 carambole tranchée
- Feuilles de menthe fraîche

Déposer tous les fruits dans le jus d'orange et servir. Garnir de menthe fraîche.

SOUPE PÉTILLANTE

4 portions

- 3 tasses de mousseux ou de champagne
- 20 raisins verts
- 20 framboises

- 1 carambole tranchée
- Feuilles de menthe fraîche

Verser le mousseux ou le champagne dans les bols. Répartir les raisins, les framboises et les morceaux de carambole. Décorer de feuilles de menthe.

Une soupe parfaite pour célébrer les grands événements! Servez-la dans des bols dont la forme permettra à vos invités de boire l'alcool restant.